LES GRANDS ATHLÈTES DU QUÉBEC

LUC GONTHIER

Les grands athlètes du Québec

Luc Gonthier

Révision linguistique : Françoise Major Cardinal
Correction d'épreuve : Maryse Froment-Lebeau
Conception graphique : Kim Lavoie
Conception de la couverture : Bruno Paradis

Sources iconographiques

Couverture : Sergign / Shutterstock.com
Photos d'ambiance à l'intérieur: Shutterstock.com

5800, rue Saint-Denis, bureau 900
Montréal (Québec) H2S 3L5 Canada
Téléphone : 514 273-1066
Télécopieur : 514 276-0324 ou 1 800 814-0324
caractere@tc.tc

ISBN : 978-2-89742-111-3 (version papier)
ISBN : 978-2-89742-112-0 (version PDF)
ISBN : 978-2-89742-113-7 (version ePub)

Dépôt légal : 4e trimestre 2015
Bibliothèque et Archives nationales du Québec
Bibliothèque et Archives Canada

Imprimé au Canada
1 2 3 4 5 M 19 18 17 16 15

Nous reconnaissons l'aide financière du gouvernement du Canada par l'entremise du Fonds du livre du Canada (FLC) pour nos activités d'édition.

Gouvernement du Québec – Programme de crédit d'impôt pour l'édition de livres – Gestion SODEC.

Table des matières

Le hockey

La course

Les athlètes paralympiques

Le baseball

Le patinage

Le ski et le biathlon

Le plongeon et la nage synchronisée

Le football

Sur l'eau

Le tennis

Les sports de combat

La course automobile

AVANT-PROPOS

UN CHOIX CORNÉLIEN

Dès le moment où ce projet de livre sur les grands sportifs du Québec a vu le jour, chacun y est allé de sa propre liste, élaborée à partir de ses souvenirs et de ses intérêts particuliers. Résultat : le répertoire obtenu spontanément dépassait largement les 50 noms, et tous méritaient de s'y retrouver.

Il a donc fallu procéder par élimination – comme lors d'une compétition ! – pour départager ceux qui représenteraient leur discipline sportive. Souvent bien peu de choses séparaient les élus de ceux et celles qui ont dû être retranchés.

Bien sûr, des noms se sont démarqués dès le départ, s'imposant comme incontournables. Comment évoquer les grands athlètes qui ont marqué le sport au Québec sans mentionner Maurice Richard, Jean Béliveau, Guy Lafleur, Gilles Villeneuve ou, plus près de nous, Georges St-Pierre ?

De même, il était impossible d'ignorer des athlètes comme Pierre Harvey, qui est parvenu à satisfaire les standards olympiques dans deux disciplines aux antipodes l'une de l'autre, allant jusqu'à participer aux Jeux d'été et d'hiver ; il aurait été tout aussi fantasque d'oublier Myriam Bédard ou Gaétan Boucher, qui ont évolué dans des sports jusque-là méconnus chez nous et qui sont néanmoins parvenus à se hisser parmi l'élite mondiale à force de courage et de détermination !

On trouvera en outre dans ce livre des athlètes de stature internationale qui ont contribué à l'évolution de leur sport. C'est le cas, entre autres, de Chantal Petitclerc aux Jeux paralympiques, ainsi que des skieurs acrobatiques québécois dont le cran, la créativité et l'audace ont été soulignés sur tous les continents.

Enfin, une place a été réservée à des exploits uniques, comme celui de Mylène Paquette, qui a traversé l'Atlantique à la rame, ou à des athlètes qui, même s'ils ne sont pas nés ici, ont adopté le Québec avec la même ferveur que nous les avons adoptés.

AU-DELÀ DES STATISTIQUES

Bien que le monde du sport en soit un de statistiques où les records se calculent en millièmes de seconde, ce sont les sportifs eux-mêmes qui nous ont d'abord intéressés, parce que, au-delà des chiffres, ils s'agit avant tout d'êtres d'exception dont le parcours et les motivations méritent d'être connus.

Ils diront, chacun à leur façon, que pour se tailler une place au sein des meilleurs, il leur a fallu consentir des années d'efforts et de travail, se relever des inévitables blessures, ignorer les doutes qui les ont assaillis chaque fois qu'ils connaissaient une mauvaise performance, surmonter des drames personnels... Oui, nos grands sportifs sont d'inépuisables sources d'inspiration et de motivation. Sans cesse confrontés aux autres compétiteurs, mais aussi à leurs objectifs personnels, les athlètes, amateurs comme professionnels, hommes comme femmes, trouvent, chacun à sa manière et le plus souvent en eux-mêmes, les ressources nécessaires pour se surpasser. Par leur ténacité, ils font la démonstration que, pour peu que nous soyons porteurs de rêves, grands ou petits, il suffit d'y croire et d'y mettre l'énergie nécessaire pour que tout soit possible...

Enfin, nos regrets et notre profond respect vont à tous ceux et celles que les contingents de l'édition ne nous ont pas permis d'évoquer ; leur mérite n'en est pas moins grand !

LE HOCKEY

JEAN BÉLIVEAU

LE GENTLEMAN

Jean Béliveau fut l'enfant modèle de toute une nation. En effet, il fut à la fois travailleur acharné, bon père de famille, meneur effacé mais efficace, dans sa communauté tout autant que dans sa vie de joueur de hockey professionnel. Plusieurs voient en lui la parfaite incarnation du Canadien français des années 1950 et 1960.

DE VICTORIAVILLE À QUÉBEC

Peu de gens dont la carrière et la vie sont publiques réussissent à traverser celles-ci sans jamais soulever de vagues. C'est pourtant le cas de Jean Béliveau.

***

Élève studieux et attentif, le jeune Béliveau fait preuve de curiosité et de respect envers tous ceux qu'il croise. Il troque son sac d'école pour son équipement de hockey aussitôt qu'il revient de l'école. Au printemps, il dépoussière son gant de baseball, un sport qu'il pratique aussi avec talent et passion, jusqu'au retour de l'automne. D'ailleurs, même après ses premiers succès au hockey, à Victoriaville puis à Québec, Béliveau, afin de garder la forme pendant la saison morte, passe une partie de l'été 1950 à Val-d'Or, où il joue au baseball avec les Tigres, l'équipe junior de la ville.

Or, le destin de Jean Béliveau est scellé. Il excelle au hockey, à un point tel qu'il devient instantanément un joueur vedette dans la Vieille Capitale. Grâce à ses prouesses, il remplit, match après match, le nouveau Colisée, construit après l'incendie ayant ravagé l'ancien aréna. Plusieurs affirment que ce sont ses exploits qui auraient permis de rembourser rapidement l'hypothèque du nouvel édifice...

Déjà adulé, Béliveau hérite d'un surnom, le « Gros Bill ». Il le doit au tournage d'un film à l'île d'Orléans dans lequel le personnage principal, Bill Wabbo, exilé au Texas, vient visiter sa famille. Une chanson du film disait : « Et voilà que le gros Bill arrive en ville. » Les gens ont associé le personnage du film, grand et costaud, à Béliveau, qui « débarquait » à Québec !

Persuadés qu'il est prêt pour la Ligue nationale, les Canadiens de Montréal lui proposent un contrat alléchant, mais Béliveau refuse, préférant respecter jusqu'à terme celui qu'il a signé avec les As de Québec. Ce n'est qu'en 1953 que Béliveau signe avec Montréal son premier contrat, qui est aussi le premier contrat à six chiffres, ainsi que le premier s'échelonnant sur plusieurs saisons offert à une recrue.

Le hockeyeur vient de se marier. Et il n'a que 21 ans.

ET MAINTENANT, MONTRÉAL !

Dès son entrée dans la Ligue nationale de hockey, Béliveau fait la démonstration qu'il est digne de succéder à Maurice Richard dans le cœur des partisans. Même si, en raison de son gabarit, il donne parfois l'impression d'être nonchalant sur la glace, il s'avère un patineur rapide qui manie la rondelle de façon exceptionnelle. Bon fabricant de jeu, il marque les buts facilement grâce à son tir du poignet qui surgit sans avertissement ainsi qu'à son redoutable revers.

Jean Béliveau est redouté dans toute la ligue dès son arrivée, et les durs à cuire ne tardent pas à le mettre à l'épreuve, espérant l'effrayer ou à tout le moins le ralentir. Il subit leurs assauts répétés sans répliquer lors de ses premières saisons... puis il se lasse. Lors de la saison 1955-1956, il est frappé de 143 minutes de pénalité, un record d'équipe. Tout ce temps passé au banc des punitions ne l'empêche pas de remporter le trophée Art-Ross, remis au meilleur pointeur de la LNH, et le trophée Hart, qui le consacre joueur le plus utile à son équipe.

C'est durant cette même saison que Béliveau devient un des joueurs qui obligent la Ligue nationale de hockey à modifier sa réglementation entourant les pénalités. Le 5 novembre 1955, les Canadiens, qui tirent de l'arrière par deux buts, bénéficient d'un double avantage numérique. Béliveau en profite pour compter 3 buts en 44 secondes. Peu de temps après, la Ligue adopte un nouveau règlement mettant fin à la pénalité d'un joueur aussitôt que l'équipe adverse marque un but. Cinq des six équipes formant alors la Ligue entérinent le nouveau règlement ; seul le tricolore s'y oppose !

Continuant, saison après saison, à assumer une domination tranquille, Jean Béliveau reçoit en 1961 ce qu'il considère comme étant l'un des plus grands honneurs de sa carrière : ses coéquipiers, à la suite du départ de Doug Harvey, l'élisent capitaine du tricolore. Il le sera au cours des 10 années suivantes, ce qui représente toujours un record d'équipe. Durant son règne, Béliveau mènera son équipe à cinq conquêtes de la coupe Stanley, ce qu'aucun autre capitaine n'était parvenu à faire.

Comme capitaine, Béliveau œuvre afin que son équipe demeure soudée. Une tâche pas toujours facile lorsqu'une nouvelle génération de joueurs plus turbulents, dont les Lapointe et Savard, joint le club. Gros Bill leur fait vite comprendre qu'il y a un temps pour s'amuser et un autre pour travailler.

Jean Béliveau prend sa retraite en 1971. Il a alors 40 ans. Honneur rare, il est admis au temple de la renommée du hockey l'année suivante, alors qu'il faut généralement attendre au moins trois ans avant de pouvoir y accéder.

Les Canadiens souligneront aussi son apport en retirant son chandail dès sa retraite. L'équipe, consciente de sa valeur, s'assure ensuite de garder le joueur étoile dans son entourage, en lui décernant le poste de vice-président sénior aux affaires sociales.

FAITS SAILLANTS

Il serait trop long d'énumérer tous les faits saillants de la carrière de Jean Béliveau ! Mentionnons tout de même que, lors des 18 saisons qu'il a passées avec le tricolore, il a remporté 10 coupes Stanley et obtenu une fiche de 1219 points, ce qui constituait un record d'équipe au moment où il s'est retiré.

ÉMILE « BUTCH » BOUCHARD

LA FORCE TRANQUILLE

Si bien des parents rêvent de voir leur enfant devenir un joueur vedette de la Ligue nationale de hockey en raison des salaires qui y sont versés, les motivations étaient tout autres à l'époque où a évolué le grand Émile « Butch » Bouchard.

Difficile d'imaginer qu'un joueur invité à s'entraîner avec les Canadiens fasse aujourd'hui 60 kilomètres à vélo pour s'y rendre ! C'est pourtant ce que fait Butch Bouchard lors de sa première période d'entraînement avec les glorieux : il parcourt en bicyclette le trajet entre Montréal et Saint-Hyacinthe, où s'exerce alors l'équipe en raison des équipements modernes qu'on y trouve.

UN ATHLÈTE COMPLET

Né le 4 septembre 1919 à Montréal, Émile Bouchard grandit dans une des nombreuses familles durement frappées par la Grande Dépression. Dans ce contexte, ses parents n'ont pas les moyens d'acheter des patins à leurs enfants ,et ce n'est qu'à 16 ans qu'Émile apprend enfin à patiner avec des patins loués. Doté d'une volonté de fer, il se donne comme objectif de se tailler une place dans les clubs amateurs de son quartier où il espère être remarqué par les dépisteurs du hockey junior.

En raison de son gabarit imposant et de sa force de caractère sur la glace, Bouchard est recruté. Il joue son hockey junior à Verdun, puis avec le Canadien junior de Montréal et, enfin, avec les Reds de Providence. Au total, il ne jouera que 80 matchs avec ces 3 clubs avant d'accéder à la LNH.

C'est dès sa participation à l'équipe junior de Verdun qu'il hérite de son surnom, « Butch ». Il s'agit à la fois d'une anglicisation de son nom de famille et d'une référence à son physique imposant ! Il faut dire que Bouchard, qui mesure 6 pi 2 po et pèse 205 livres, se soumet à un entraînement physique rigoureux, ce qui n'est pas encore fréquent chez les joueurs de hockey.

D'ailleurs, lorsque Bouchard arrive en vélo à l'entraînement des Canadiens précédant la saison 1940-1941, c'est sa forme physique qui impressionne l'entraîneur Dick Irving. Celui-ci voit en lui un élément susceptible de relancer le club, qui n'a pas gagné de coupe Stanley depuis une dizaine d'années.

S'il en impose par son physique, Bouchard subjugue aussi la direction des Canadiens par ses aptitudes de négociateur. Il signe un premier contrat de 3750 $ par année, ce qui lui permet d'obtenir un meilleur salaire que plusieurs joueurs vedettes déjà établis, comme Elmer Lach.

***

UN PILIER

Bouchard ne se démarque guère comme pointeur lors de sa première saison avec le tricolore, mais son jeu défensif impeccable et ses solides mises en échec stabilisent la défensive de l'équipe. De plus, même s'il n'est pas querelleur, Butch n'hésite jamais à défendre ses coéquipiers. Il répétera souvent qu'il n'a jamais commencé une bagarre, mais qu'il a mis fin à toutes celles auxquelles ses adversaires l'ont invité !

C'est durant la saison 1942-1943 que l'apport offensif de Bouchard se concrétise. Il devient le meilleur compteur de la brigade défensive des Canadiens, contribuant ainsi à une remontée progressive du club dans le classement. Avec l'arrivée de Maurice Richard l'année suivante et la création de la «*punch line*», le tricolore offre désormais des matchs excitants devant des gradins remplis au maximum de leur capacité.

En 1948, à sa septième saison avec les Canadiens, Bouchard, qui fait maintenant partie des vétérans, est élu capitaine par ses coéquipiers. Un honneur qui lui échoit en raison de ses qualités humaines, mais aussi parce qu'il n'hésite jamais à confronter la direction du club lorsque nécessaire.

Il occupera fièrement ce poste pendant huit saisons. Durant cette période, il prêche par l'exemple et prend sous son aile les nouveaux venus. À ce chapitre, plusieurs joueurs et observateurs proches des Canadiens croient que Bernard Geoffrion n'aurait probablement jamais connu la carrière qu'il a eue si Butch n'avait pas été là pour contrôler ses sautes d'humeur et le défendre auprès de la direction.

Affecté par des blessures, Bouchard pense à prendre sa retraite à la fin de la saison 1954-1955. Il repousse sa décision à la demande de Toe

Blake, qui lui propose de rester afin de faciliter son intégration comme nouvel entraîneur des Canadiens.

Reconnaissant, Blake habille Butch lors du dernier match des éliminatoires, que les Canadiens disputent contre les Red Wings de Détroit. Il ne reste que quelques instants au match que Montréal mène 3 à 1 lorsqu'il envoie Bouchard sur la glace, lui permettant ainsi d'inscrire une dernière fois son nom sur la coupe Stanley.

ÉPILOGUE

Le 4 décembre 2009, c'est sur roues qu'Émile « Butch » Bouchard se présente au Centre Bell à l'invitation des Canadiens. Cette fois, c'est pour assister à la cérémonie soulignant le retrait de son chandail.

Son fils, Pierre Bouchard, qui a aussi joué pour le tricolore, dirige le fauteuil roulant de son père jusqu'au centre de la patinoire. Butch, alors âgé de 90 ans, y est longuement ovationné. L'homme est ému. Il en était venu à croire que cet honneur ne lui serait jamais dévolu, du moins de son vivant.

FAITS SAILLANTS

Émile « Butch » Bouchard a joué 15 saisons dans l'uniforme des Canadiens de Montréal. Pendant sa carrière, le club a remporté 4 coupes Stanley.

MARTIN BRODEUR

SAVOIR DURER

Martin Brodeur est aujourd'hui considéré comme l'un des meilleurs gardiens de but de tous les temps. Eh oui ! Un autre Québécois qui se distingue à ce poste et qui se classe parmi les plus grands sportifs que la province a produits !

ÊTRE OU NE PAS ÊTRE… GARDIEN DE BUT !

Comme beaucoup d'autres jeunes enfants, Martin Brodeur passe beaucoup de temps à jouer avec son frère et ses amis au hockey, dans la rue ou à la patinoire du coin, ne s'accordant que quelques minutes pour avaler une bouchée en vitesse avant de reprendre un match. Lorsqu'on lui confie le poste de gardien de but, il emprunte l'équipement de son père, qui eut lui aussi une carrière de cerbère.

Petit hic : il doit attraper les rondelles de la main droite, alors qu'il le fera de la main gauche durant toute sa carrière.

Au moment où Brodeur joint les novices de la ligue de hockey de Saint-Léonard, il joue tantôt à l'avant, où il s'avère un excellent compteur – comme son idole Guy Lafleur –, tantôt comme gardien de but, se voulant tout aussi efficace que Ken Dryden, qu'il admire aussi.

Cette dualité sera toutefois de courte durée : à la saison suivante, ses entraîneurs lui signifient qu'il doit choisir à quelle position il veut évoluer. Le jeune Brodeur, qui n'a alors que 7 ans, choisit d'occuper le poste de gardien de but.

Il poursuit ainsi sa trajectoire en hockey mineur, d'abord dans son patelin de Saint-Léonard, puis, à 16 ans, il grossit les rangs du midget AAA avec l'équipe de Montréal-Bourassa. Il s'y révèle l'un des meilleurs espoirs chez les gardiens de but. Une impression qui devient une certitude en 1988, année où il participe au festival national de hockey des moins de 17 ans à Calgary. Pour la première fois, le jeune gardien se mesure aux 100 meilleurs joueurs du pays dans sa catégorie d'âge. Ses performances lui permettent de croire qu'il peut désormais rêver d'accéder à la LNH.

DANS LES GRANDES LIGUES

Lors du repêchage de la LNH de 1990, les Devils du New Jersey réclament au 20e rang de la première ronde. Pour Martin, c'est un rêve d'enfance qui se réalise ce jour-là, et c'est confiant de se démarquer un jour dans la LNH qu'il passe deux ans avec son équipe junior, le Laser de Saint-Hyacinthe.

C'est après une première saison dans la ligue américaine avec les Devils d'Utica que Martin Brodeur dispute sa première saison complète dans la Ligue nationale, en 1993-1994. À la fin de celle-ci, il reçoit le trophée Calder, décerné à la recrue de l'année.

La saison suivante est écourtée à cause du lock-out décrété par la Ligue nationale de hockey. Lors des séries éliminatoires de cette drôle de saison, les Devils, notamment grâce au brio de Brodeur et au jeu défensif préconisé par Jacques Lemaire, gagnent la coupe Stanley. Martin Brodeur inscrit son nom pour la première fois sur le trophée le plus convoité de la LNH. Il répétera l'exploit à deux autres occasions.

En plus de se distinguer au sein de son équipe, Brodeur s'illustre sur la scène internationale. Il participe d'abord au Championnat du monde de 1996, où il joue un rôle mineur, revenant néanmoins de son expérience avec une médaille d'argent au cou. Sa contribution sera tout autre lors des Jeux olympiques de Salt Lake City : il garde les buts de tous les matchs sauf un, et permet au Canada de gagner la médaille d'or, la première du pays depuis 1952.

Cette victoire revêt un caractère particulier pour le gardien de but. Son père et lui deviennent ainsi le seul duo père-fils de gardiens de but à remporter une médaille olympique ! En 1956, Denis, son père, a en effet gagné une médaille de bronze à Cortina d'Ampezzo alors qu'il protégeait les buts de l'équipe du Canada.

***

En 2004, Martin Brodeur participe à sa deuxième Coupe du monde, où le Canada arrache la victoire à la Finlande. Il est également des Jeux olympiques de Vancouver en 2010, où le Canada remporte une nouvelle médaille d'or en hockey, un podium qui couronne de belle façon la longue carrière de l'athlète.

Pour le recruteur Claude Carrier, le succès qu'il a connu durant presque 25 ans est une combinaison de plusieurs facteurs. Un facteur humain, d'abord, car Martin Brodeur est un fier compétiteur qui a toujours eu du caractère. Des facteurs techniques, aussi : tant devant qu'autour de son filet, Brodeur sait manier la rondelle. Il possède de véritables réflexes de chat, et le style hybride qu'il a adopté convient bien à son physique.

FAITS SAILLANTS

Martin Brodeur est reconnu comme l'un des gardiens de but ayant disputé le plus grand nombre de matchs en saison régulière. Il a en effet maintenu le fort plus de 70 matchs au cours de 8 saisons.

Invité au match des étoiles une premier fois en 1996, Brodeur y sera invité à 10 reprises au cours de sa carrière.

À quatre occasions on lui remet le trophée Jennings, récompensant le gardien ayant accordé le moins de buts en cours de saison. Il remporte autant de fois le trophée Vézina, couronnant le meilleur gardien de la LNH. Martin Brodeur est aussi le gardien ayant marqué le plus de buts, soit 3 ! Son premier a été compté contre les Canadiens de Montréal, lors du premier match des séries éliminatoires 1997.

Parmi les autres marques qu'il a établies, on compte notamment le plus grand nombre de victoires (691) et de jeux blancs (125).

BERNARD « BOUM BOUM » GEOFFRION

UN HOMME DE CARACTÈRE

Que ce soit sur la glace ou dans la vie, Bernard « Boum Boum » Geoffrion a toujours eu le sens du spectacle. Il en donne un ultime exemple le 11 mars 2006...

Alors que les Canadiens peaufinent les préparatifs en vue du retrait de son chandail, le numéro 5, qui aura lieu le soir même... le hockeyeur rend l'âme. C'est donc dans un Centre Bell parfaitement silencieux que les amateurs, en larmes et la tête pleine de souvenirs, assistent à la cérémonie prévue en l'honneur du « Boomer ».

SOUVENIRS

Des souvenirs, Geoffrion en a laissé plusieurs, tant à ses coéquipiers qu'aux partisans du bleu, blanc, rouge !

Son fameux lancer frappé, d'abord, qui lui a valu le surnom de « Boum Boum », dont l'origine exacte demeure incertaine. On l'attribue le plus souvent au journaliste sportif Charlie Boire du *Montreal Star,* qui l'aurait utilisé une première fois en 1946, après avoir assisté à une pratique du Club de hockey national de Montréal, duquel Geoffrion faisait partie.

De son côté, le père Marcel de la Sablonnière, directeur du Centre des loisirs Immaculée-Conception, affirme qu'à l'époque où Geoffrion fréquentait son centre, on le désignait déjà par ce surnom en raison de la puissance de son lancer.

Qu'importe ! Ce dont les amateurs de hockey se souviennent, c'est que ce lancer frappé terrorise les gardiens dès l'époque du National, l'équipe junior au sein de laquelle Geoffrion compte 165 buts et obtient 105 passes en seulement 139 rencontres. Lors de sa dernière année, il remporte le championnat des compteurs devant Jean Béliveau, son principal rival.

Geoffrion réalise un autre exploit l'année suivante : passer directement du junior aux Canadiens de Montréal, sans passer par la Ligue américaine ni les rangs séniors.

UN GLORIEUX

C'est un être complexe qui joint les Canadiens de Montréal au cours de la saison 1950-1951. Ses coéquipiers trouvent en lui un joueur intense et énergique qui, hors de la glace, se révèle le plus souvent un boute-en-train aimant jouer des tours, et même pousser la chansonnette lors de leurs interminables voyages en train. Aussi sont-ils chaque fois étonnés lorsque le Boomer se montre plus violent qu'intense sur la patinoire ou lorsqu'il se renferme parce qu'il est contrarié.

Si le caractère de Geoffrion est imprévisible, le joueur de hockey s'avère vite un atout incontournable pour le club. Lors de sa première saison complète avec les Canadiens, en 1951-1952, Boum Boum marque 30 buts et reçoit le trophée Calder, remis à la recrue par excellence de la Ligue nationale.

Au cours des saisons suivantes, il s'affirme comme l'un des meilleurs joueurs offensifs de la Ligue nationale de hockey. Geoffrion ne connaîtra qu'une saison de moins de 20 buts et deviendra, en 1960-1961, le second joueur, après Maurice Richard, à compter 50 buts dans une même saison. Geoffrion contribuera ainsi à la conquête de six coupes Stanley, dont cinq consécutives, de 1955 à 1960 – un exploit toujours inégalé.

Ses statistiques sont d'autant plus impressionnantes qu'en raison de son style de jeu, le Boomer est ralenti par de nombreuses blessures allant de la simple coupure nécessitant des points de suture à une déchirure de l'intestin, pendant un entraînement, si grave qu'il reçoit les derniers sacrements, avant de subir une opération délicate. Six semaines après cet incident qui a failli lui coûter la vie, Geoffrion participe aux séries éliminatoires et inscrit le but gagnant, qui mène les Canadiens à une autre coupe Stanley !

Vedette incontestée des Canadiens, Geoffrion connaît néanmoins quelques moments difficiles. En 1955, par exemple, Maurice Richard domine le championnat des marqueurs de la Ligue nationale de hockey. Or, il est suspendu pour le reste de la saison, incluant les séries éliminatoires, pour avoir frappé un arbitre. Profitant en quelque sorte de la suspension de Richard, Geoffrion remporte le championnat des marqueurs. Certains partisans ne lui pardonnent pas d'avoir ravi le titre à Richard ; ils le huent chaque fois qu'il compte. L'homme restera longtemps blessé par cet épisode, et la cicatrice prendra du temps à se refermer.

Quelques années plus tard, nouvelle déception. Le capitaine de l'équipe, Doug Harvey, est échangé à New York. Les joueurs doivent élire un nouveau capitaine. Ils optent pour Jean Béliveau plutôt que pour Geoffrion. Après toutes ces années à s'échiner pour le club, Geoffrion est déçu. Il aurait aimé qu'on lui confie le poste.

ÉPILOGUE

Au milieu des années 1960, le jeu de Geoffrion perd de son lustre, et les Canadiens lui font comprendre que ses services ne sont plus requis. On lui propose toutefois de devenir l'entraîneur des As de Québec, le club-école des Canadiens. Il y connaît du succès pendant deux ans.

Bernard Geoffrion étonne ensuite tout le monde en annonçant qu'il revient au jeu avec les Rangers de New York. S'il n'est plus le joueur marquant qu'il a été, il se défend bien durant les deux ans qu'il passe dans la Grosse Pomme.

En 1979, à la suite du départ de Scotty Bowman, Irving Grundman lui offre le poste d'entraîneur du tricolore. Enthousiaste à l'idée de revenir à Montréal, Geoffrion accepte. L'équipe connaît toutefois un début de saison difficile, et les relations avec la direction s'enveniment. À la mi-saison, il démissionne, puisque sa santé, déjà fragile, se détériore.

FAITS SAILLANTS

Au terme de sa carrière, Bernard « Boum Boum » Geoffrion a remporté 6 coupes Stanley, ainsi que 2 trouhées Art-Ross, 1 trophée Calder et 1 trophée Hart.

Ses exploits lui ont valu d'être nommé au temple de la renommée du hockey en 1972.

MICHEL GOULET

LE « SURDOUÉ DE PÉRIBONKA »

Avant que Michel Goulet y voie le jour le 21 avril 1960, le village de Péribonka est déjà connu dans toute la francophonie grâce à Maria Chapdelaine, l'héroïne de Louis Hémon. En outre, depuis 1955, les amateurs d'épreuves de natation s'y rejoignent chaque année, puisque c'est là qu'est donné le signal de départ de la Traversée internationale du lac Saint-Jean.

Très attaché à sa communauté et à sa famille, Michel Goulet connaît du succès au hockey mineur dès l'âge de 13 ans. Après avoir joué chez les midgets dans sa propre région, il doit, à contrecoeur, se résoudre à quitter les siens, les Remparts de Québec de la Ligue de hockey junior majeure l'ayant repêché.

Si l'exil lui pèse, cela ne paraît guère dans son jeu ! Lors de sa 1re année avec les Remparts, Goulet termine en tête des compteurs ; lors de la 2e, il marque 73 buts en 72 matchs et est élu joueur par excellence de la Ligue.

Ses succès l'amènent ensuite beaucoup plus loin de Péribonka : en 1978, Goulet signe son premier contrat professionnel avec les Bulls de Birmingham de l'Association mondiale de hockey. Unilingue francophone, il se retrouve soudainement dans le sud des États-Unis, où il découvre le racisme et la lutte qu'y mènent les Noirs américains depuis plus d'une décennie pour qu'on reconnaisse leurs droits fondamentaux.

Son séjour à Birmingham ne dure qu'un an, l'AMH étant dissoute. Seules quatre de ses équipes s'intègrent à la Ligue nationale de hockey, dont les Nordiques de Québec. Prévoyant, l'agent de Michel Goulet, le célèbre Guy Bertrand, a fait inclure dans son contrat une clause spécifiant qu'en cas de dissolution de l'AMH, Goulet doit être offert en priorité aux Nordiques. La Ligue nationale refuse de se plier à cette exigence et soumet Goulet au repêchage. Guy Bertrand entame alors des procédures judiciaires contre toutes les équipes de la LNH. Résultat : même si les Nordiques ne le repêchent qu'au 20e rang, Michel Goulet est toujours disponible, les autres organisations l'ayant ignoré par crainte d'interminables et coûteuses poursuites devant les tribunaux du Québec.

Le joueur et son agent réalisent alors un autre coup d'éclat : ils refusent de signer le contrat de la LNH, rédigé exclusivement en anglais. Ils exigent une version en français : une première ! La démarche n'obtient pas l'appui de tous les francophones de la ligue, certains craignant que cette attitude n'amène les francophones à être boycottés par les équipes de la LNH.

GOU ! GOU ! GOU !

Lorsqu'ils le repêchent, les Nordiques voient en Goulet un compteur francophone susceptible de remplir le Colisée de Québec ; le joueur leur donnera raison. Il connaît 4 saisons de plus de 50 buts, dont celle de 1982-1983 qui en totalise 57. S'il éprouve, lors des 2 saisons suivantes, une baisse de régime en se « contentant » de 49 et de 48 buts, Goulet ne trouve personne pour lui en tenir rigueur ! Surtout qu'à deux occasions, il marque quatre buts dans un même match, notamment lors d'une remontée spectaculaire contre les Canadiens de Montréal, ennemis jurés des Nordiques.

Pendant qu'à Montréal on entend « Guy ! Guy ! Guy ! » pour souligner les exploits de Lafleur, à Québec, les amateurs scandent : « Gou ! Gou ! Gou ! » Les coéquipiers de Goulet, eux, ne tarissent pas d'éloges à son endroit. Peter Stastny le compare même à Maurice Richard, l'homme des grandes occasions ; un point de vue que partage Alain Côté, qui admet que s'il est moins spectaculaire que le Rocket, Michel Goulet possède néanmoins le même sens inné du jeu. Le *Toronto Star* renchérit en affirmant qu'en raison de son style effacé, Goulet est l'un des joueurs les plus sous-évalués de la LNH. Tout de même, le magazine *Hockey News* désigne Goulet meilleur ailier gauche de la décennie en 1988.

FIN ABRUPTE

Michel Goulet est certes doté d'un immense talent, mais une part de son succès tient au fait qu'il joue aux côtés de Dale Hunter. Aussi, lorsque les Nordiques se départissent de leur « Petite Peste », les exploits offensifs de Goulet déclinent. La direction de l'équipe décide en 1990 de l'échanger aux Blackhawks de Chicago. Déçu, il rejoint sa nouvelle équipe, avec laquelle il atteindra le plateau plus que respectable des 500 buts.

Le 16 mars 1994, lors d'un match entre Chicago et Montréal, Michel Goulet, accroché, fait une mauvaise chute et percute la bande tête première. On le sort de l'aréna sur une civière. Le diagnostic est sans appel : il a été victime d'une violente commotion cérébrale dont il mettra longtemps à se remettre. Le 26 janvier 1995, il annonce qu'il se retire définitivement : le surdoué de Péribonka est tombé au combat !

FAITS SAILLANTS

– Durant sa carrière, Michel Goulet a participé à 1089 rencontres, avec les Nordiques de Québec et les Blackhawks de Chicago. Il a compté 548 buts, obtenu 604 aides, et réalisé 16 tours du chapeau.

– Il a été invité au match des étoiles de la LNH 5 années de suite, de 1983 à 1988, et a participé à 2 Coupes Canada.

— Il a été intronisé au temple de la renommée en 1998.

DOUG HARVEY

L'ESPRIT D'ÉQUIPE

Né dans le quartier Notre-Dame-de-Grâce à Montréal, Doug Harvey s'avère très tôt un grand sportif. Dès son enfance, il joue au hockey jusqu'à ce que les patinoires extérieures fondent, puis il se met au baseball, au football et, à l'occasion, il dispute une partie de crosse.

Hyperactif, Harvey met toutefois un certain temps à atteindre sa taille de 5 pi 11 po qui lui permettra de s'imposer comme l'un des meilleurs défenseurs de la Ligue nationale de hockey. Il évolue d'abord comme gardien de but puis comme ailier, avant qu'on lui confie un rôle défensif. Cette polyvalence explique peut-être en partie pourquoi il se démarque des autres défenseurs par un style innovateur, basé sur le contrôle de la rondelle.

INNOVATEUR ET GÉNÉREUX

C'est précisément son style unique qui attire l'attention des recruteurs des Canadiens de Montréal. Ils remarquent qu'Harvey maîtrise la rondelle sur de longues périodes du jeu sans qu'on parvienne à la lui enlever. Il accélère le rythme à sa guise et surprend les joueurs adverses ou, au contraire, ralentit le rythme lorsqu'il sent que ses coéquipiers ont besoin de reprendre leur souffle.

Harvey joint les Canadiens de Montréal au cours de la saison 1947-1948. Il conquiert rapidement le cœur des amateurs, qui apprécient son jeu spectaculaire. Il lui faut cependant attendre que les vétérans de l'équipe prennent leur retraite avant de s'imposer véritablement comme un joueur vedette.

En effet, sa contribution occasionnelle à l'attaque rend le jeu plus ouvert, moins statique. De plus, Harvey est reconnu pour la précision de ses passes et redouté comme buteur lors des avantages numériques. Malgré sa hardiesse qui l'amène parfois à se retrouver hors position, il est considéré comme un défenseur fiable qui émerge du lot grâce à sa robustesse. Les attaquants des clubs adverses apprennent à leurs dépens qu'ils ne sont jamais les bienvenus dans sa zone et qu'ils devront, s'ils s'y aventurent, en payer le prix et subir de dures mises en échec. Son style de défense offensive sera imité par de nombreux jeunes défenseurs.

Enfin, si Harvey est tant apprécié, c'est d'abord et avant tout parce qu'il est un joueur d'équipe. Même lorsqu'il a une occasion de marquer, il préfère effectuer une passe à l'un de ses coéquipiers dont le contrat contient une clause de bonification salariale rattachée au nombre de buts qu'il marque.

LA LÉGENDE

Au fil des saisons, Doug Harvey devient la pierre angulaire de la brigade défensive des Canadiens, crainte partout dans la ligue en raison de sa contribution offensive, ce qui est peu fréquent à l'époque. Formant une équipe parfaitement équilibrée, le tricolore met la main sur la coupe Stanley à cinq reprises de 1956 à 1960.

De son côté, Harvey récolte régulièrement les honneurs individuels. Il reçoit son premier trophée Norris à la fin de la saison 1954-1955. Celui-ci lui sera également remis les trois années suivantes. Alors qu'il échappe à Harvey en 1958-1959, on le lui décerne de nouveau lors des deux saisons suivantes, ses dernières avec les Canadiens.

En 1960, ses coéquipiers montrent à Harvey toute l'estime qu'ils ont pour lui en l'élisant capitaine à la suite du départ à la retraite de Maurice Richard. Or, ce que Harvey ignore, c'est que s'il est apprécié par les partisans et les joueurs du tricolore, le directeur général de l'équipe, Frank Selke, ne lui a jamais pardonné le rôle qu'il a joué pour tenter de mettre sur pied une association des joueurs de la LNH...

Selke cède le vétéran aux Rangers de New York le 13 juin 1961 pour la somme de 1 $ et des considérations futures. Le coup est dur à encaisser pour Harvey. Il n'en gagne pas moins un septième Norris lors de sa première saison avec son nouveau club. Seul Bobby Orr, qui reçoit le Norris à huit reprises, le devance à ce chapitre.

Malheureusement, celui qui a été considéré par le magazine *Hockey News* comme le sixième meilleur joueur de hockey de tous les temps et par plusieurs comme celui qui a révolutionné, avec Bobby Orr, le rôle des défenseurs connaîtra une fin de vie difficile. Doug Harvey meurt d'une cirrhose, à peine âgé de 65 ans.

FAITS SAILLANTS

Doug Harvey est nommé une première fois dans l'équipe d'étoiles de la LNH en 1951-1952. Il le sera lors des 10 saisons suivantes.

Le 26 octobre 1985, il devient le premier défenseur des Canadiens à voir son chandail retiré par le club.

Harvey a disputé 1113 matchs dans la LNH. Il a totalisé 540 points, dont 88 buts et 452 mentions d'aide.

GUY LAFLEUR

LE « DÉMON BLOND » !

Pour les partisans des Canadiens de Montréal, Guy Lafleur est incontestablement une idole. On admire autant l'homme que son élégance, ou ses prouesses sur la patinoire. Tous aiment rappeler les efforts qu'il a consentis pour devenir et demeurer l'un des plus grands joueurs de la Ligue nationale de hockey, sautant sur la patinoire avant tous ses coéquipiers et la quittant bien souvent le dernier. Tous saluent aussi le courage dont il a toujours fait preuve malgré l'intimidation qu'exerçaient sur lui certaines équipes, comme celles de Boston et de Philadelphie, et à laquelle il répondait de la meilleure façon possible : en faisant gagner son équipe !

Ses admirateurs apprécient aussi l'homme intègre et franc qu'il est. En effet, Lafleur n'hésite jamais à dire ce qu'il pense ; un trait de caractère qui lui a valu quelques démêlés avec la direction du tricolore, jusque-là peu habituée à une attitude si frondeuse.

UN SAUVEUR ATTENDU

Si on se souvient bien de la carrière phénoménale que Guy Lafleur a connue dans la Ligue nationale de hockey, on connaît moins ses exploits dans la Ligue de hockey junior majeur du Québec, où il fait sa marque de 1969 à 1971 avec les Remparts de Québec.

Pourtant, au moment où il accède au rang junior, la LHJMQ traverse une période difficile. Si difficile, en fait, qu'au Canada anglais, on doute sérieusement de la qualité de jeu qu'offrent la ligue québécoise et les joueurs francophones qui la composent ; une méfiance partagée par les Québécois eux-mêmes, car les Remparts, comme beaucoup d'autres équipes de la ligue, attirent alors peu de spectateurs dans leurs amphithéâtres.

Dès son arrivée, Lafleur, avec son haut niveau de jeu, ramène peu à peu les spectateurs au Colisée, mais aussi dans les autres arénas où il se produit. Même la perception négative qu'on a de la LHJMQ à l'extérieur du Québec se modifie !

En peu de temps, Guy Lafleur s'impose comme le meilleur joueur junior au pays. En 1971, il soulève à maintes reprises le Colisée de Québec, marquant 130 buts et récoltant 209 points. Cette même année, les Remparts remportent la coupe Memorial.

Peu étonnant, dans ce contexte, qu'à l'autre extrémité de la 20, la direction des Canadiens de Montréal s'agite afin de mettre la main sur ce prodige, tout comme elle l'a fait, 20 ans plus tôt, pour s'assurer les services de Jean Béliveau. Sam Pollock échange d'ailleurs plusieurs joueurs de qualité pour obtenir le premier choix au repêchage. Il sélectionnera aussi, par la même occasion, Larry Robinson, un défenseur prometteur. Quand Lafleur et Robinson termineront respectivement leur carrière avec les Canadiens, ils seront tous deux à la tête des pointeurs de leur position respective.

GUY ! GUY ! GUY !

Lafleur arrive à Montréal avec une telle réputation que les amateurs s'attendent à ce qu'il soit à la hauteur des grandes légendes qui ont contribué à asseoir le mythe du tricolore. Les espérances sont à ce point élevées qu'elles ne peuvent qu'être déçues. Et elles le seront !

Si Lafleur compte 29 buts à sa première saison, sa contribution au pointage diminue au cours des deux saisons suivantes. Dans les gradins, on commence à murmurer que les Canadiens ont commis une erreur en sacrifiant autant pour ce qui ne semble être, en définitive, qu'un joueur moyen.

L'immense talent de Guy Lafleur éclot finalement lors de la saison 1974-1975, durant laquelle il marque 53 buts et obtient 66 assistances. « Ti-Guy », qui a fait ses classes sur la patinoire que son père entretenait dans la cour arrière de la maison, devient une idole au même titre que celles qu'il adorait durant son enfance. Dans les gradins, on entend de plus en plus souvent la foule scander «Guy! Guy! Guy!» pour souligner les prouesses du « démon blond ».

Guy Lafleur et les Canadiens de Montréal connaissent une période faste, remportant quatre coupes Stanley consécutives de 1976 à 1979.

FAUSSE SORTIE

À compter des années 1980, Lafleur connaît une baisse progressive de régime. Son temps de glace diminue en conséquence, et on devine à ses propos qu'il est moins heureux de l'orientation que prend l'équipe. Au début de la saison 1984-1985, il surprend néanmoins tout le monde en annonçant qu'il prend sa retraite.

Or, Guy Lafleur est amer. Il a le sentiment d'avoir raté sa sortie. Il étonne à nouveau les partisans en annonçant quelques années plus tard qu'il tente un retour au jeu avec les Rangers de New York. Il y passe la saison 1988-1989 avant d'intégrer, pour ses deux dernières années dans la LNH, les rangs des ennemis jurés des Canadiens, les Nordiques de Québec.

FAITS SAILLANTS

– Guy Lafleur a remporté de nombreux honneurs pendant sa carrière de hockeyeur, entre autres :

- le trophée Art-Ross, remis au meilleur pointeur, durant 3 saisons consécutives, de 1975 à 1978 ;
- le trophée Lester-B.-Pearson (3 fois), remis au joueur par excellence de la LNH ;
- le trophée Hart (2 fois), couronnant le joueur le plus utile à son équipe ;
- le trophée Conn-Smythe, en 1976-1977, décerné au joueur le plus utile en séries éliminatoires.

– Lafleur marque 50 buts et plus durant 6 saisons consécutives, un record à l'époque.

– Il a gagné 5 fois la coupe Stanley avec les Canadiens de Montréal.

MARIO LEMIEUX

« LE MAGNIFIQUE »

En plus d'encaisser match après match les charges et les coups de bâton que les adversaires réservent aux meilleurs pour les ralentir, Mario Lemieux a dû, au cours de sa carrière de hockeyeur, se battre contre un cancer et l'administration déficiente des dirigeants des Penguins de Pittsburgh, qui a mené le club au bord du gouffre financier.

C'est beaucoup pour un seul homme ! Mais ce n'est pas tout... Malgré les épreuves et les blessures qui l'ont écarté du jeu, parfois pour de longues périodes, Mario Lemieux est toujours considéré comme l'un des meilleurs joueurs de hockey du monde, avec Wayne Gretzky.

DE « SUPER MARIO »...

Né en 1965 dans le quartier Ville-Émard, à Montréal, Mario Lemieux se distingue dès ses premiers coups de patin dans la catégorie Atome A, où il fait preuve d'une agilité et d'un contrôle de la rondelle exceptionnels. Scotty Bowman, qui voit évoluer le jeune prodige alors qu'il n'a que 13 ans, affirme qu'il deviendra à coup sûr l'un des plus grands joueurs de la Ligue nationale de hockey.

Repêché à 15 ans par les Voisins de Laval de la Ligue de hockey junior majeur du Québec, Lemieux, d'habitude peu loquace, annonce alors avec assurance qu'il compte briser le record du plus grand nombre de points en une saison, détenu par Pierre Larouche depuis 10 ans. Il y parviendra à quelques semaines de la fin de la saison. Le jeune hockeyeur réalise alors qu'il peut battre deux autres records qu'il ne croyait pas à sa portée, soit celui du plus grand nombre de buts en une saison, détenu par Guy Lafleur (130), ainsi que celui du plus grand nombre de passes (157), qui appartient aussi à Larouche.

Lorsque Mario Lemieux saute sur la glace lors du dernier match de la saison, il lui manque trois buts pour égaler la marque de Lafleur, mais le record de Larouche est désormais inatteignable. « Super Mario » se montre cependant à la hauteur de son surnom : il marque six buts et obtient cinq aides. Il surpasse ainsi le record de Lafleur et devient le meilleur marqueur sur une saison de l'histoire de la LHJMQ.

... À « LE MAGNIFIQUE » !

« Super Mario » joint les Penguins de Pittsburgh la saison suivante et sera très vite affublé d'un nouveau surnom dans la Ligue nationale : « le Magnifique ».

Pourtant, son arrivée à Pittsburgh ne se fait pas sans grincements de dents : Lemieux refuse, lors de la session de repêchage, de serrer la main du président de l'équipe et d'endosser le chandail de Pittsburgh, insatisfait des négociations entourant son contrat. Les relations du Magnifique avec la direction du club connaîtront d'autres périodes orageuses, jusqu'à ce que Lemieux devienne actionnaire majoritaire des Penguins et sauve le club d'une faillite imminente.

Sur la patinoire, Mario Lemieux fait une entrée à la hauteur des attentes des partisans. En effet, il marque un but dès sa première présence sur la patinoire. À la fin de sa première saison, même si le club n'est pas encore très compétitif, Lemieux atteint le plateau des 100 points.

Le Magnifique connaît ensuite deux saisons de rêve, en 1987-1988 et en 1988-1989. D'abord, au mois d'août 1987, il participe à la Coupe Canada, où il joue au centre, flanqué de Wayne Gretzky. Lors des 9 matchs qu'ils disputent, les deux joueurs marquent 11 buts, dont celui qui permet au Canada de remporter la finale, un but d'anthologie compté sur une passe parfaite de Gretzky. Porté par son succès, Mario Lemieux atteint pour cette saison le plateau de 168 points ; un plateau qu'il fracassera l'année suivante, en récoltant 199 points !

Malheureusement, lors des saisons subséquentes, Lemieux est affligé de maux de dos récurrents qui l'obligent à rater de nombreux matchs. En fait, lors de la saison 1990-1991, il ne participe qu'à 26 matchs de la saison régulière. Malgré la douleur, il est des séries et aide les Penguins à mettre la main sur leur première coupe Stanley. Mieux, avec 44 points, il domine la colonne des marqueurs lors des éliminatoires. Mario Lemieux et ses coéquipiers boiront même dans la coupe Stanley l'année suivante !

Un nouveau problème de santé fait son apparition au cours de la saison 1992-1993 et, cette fois, il est de taille. Lemieux annonce qu'il est atteint de la maladie de Hodgkin, une forme de cancer. Super Mario y fait face avec la même détermination qu'il a toujours eue comme joueur. Cependant, les 22 traitements qu'il reçoit minent sa forme physique. À la surprise de tout le monde, il fait néanmoins un retour en fin de saison, le temps de participer au championnat des marqueurs de la Ligue nationale de hockey. Rien de moins !

Mario Lemieux décide de se permettre une année sabbatique lors de la saison 1994-1995. À son retour, il remporte ses cinquième et sixième championnats des marqueurs. Les amateurs de hockey ne peuvent encore une fois que s'incliner devant le Magnifique ! Peu de joueurs savent comme lui compter de toutes les façons possibles, en avantage comme en désavantage numérique, lors d'échappés, à un contre un, ou encore en transportant la rondelle d'un bout à l'autre de la patinoire pour déjouer le gardien...

À LA RETRAITE ?

À la fin de la saison 1996-1997, Mario Lemieux se retire du hockey. Toutefois, les problèmes financiers que connaît l'équipe des Penguins, frappée de la menace d'être déménagée dans une autre ville, incitent le hockeyeur à se porter acquéreur de la franchise. Pour aider l'équipe et attirer les amateurs, Lemieux effectue un retour au jeu en 2000-2001, après avoir été intronisé au temple de la renommée du hockey. Le premier joueur à être propriétaire d'un club de la LNH jouera ainsi avec « ses » Penguins jusqu'en 2006. De nouveaux problèmes de santé l'obligeront alors à prendre une retraite définitive.

FAITS SAILLANTS

Parmi les nombreux trophées qu'a remportés Mario Lemieux, on compte :

– le trophée Calder (recrue de la LNH) ;

– le trophée Lester-B.-Pearson (meilleur joueur selon ses pairs) à 4 reprises ;

– le trophée Art-Ross (meilleur compteur) à 6 reprises ;

– le trophée Hart (joueur le plus utile) à 3 reprises ;

– le trophée Conn-Smythe (joueur le plus utile des séries) à 2 reprises ;

– le trophée Bill-Masterton, remis au joueur ayant démontré le plus de persévérance et d'esprit d'équipe.

JACQUES PLANTE

DERRIÈRE LE MASQUE

Jacques Plante naît le 17 janvier 1929 dans la ville de Shawinigan – à l'époque, elle s'appelle encore Shawinigan Falls. Il est l'aîné d'une famille ouvrière modeste qui comptera bientôt 11 enfants. À titre de premier-né, il développe rapidement, à l'instar de son père et de sa mère, un sens peu commun de la débrouillardise qui lui servira toute sa vie.

Comme tous ses amis, le jeune Plante va quasi quotidiennement sur les plans d'eau gelés ou sur la patinoire de l'école pour jouer au hockey. Il évolue d'abord comme défenseur, mais des problèmes d'asthme l'obligent à devenir gardien de but. Sa famille n'ayant pas les moyens de lui procurer l'équipement nécessaire, son père lui fabrique son premier bâton de gardien, dont Plante gardera toujours un souvenir ému, ainsi que des jambières faites de sacs de jute rembourrés.

Le jeune garçon consacre une partie de ses temps libres à donner un coup de main à ses parents. Aucune tâche ne lui répugne. Il demande même à sa mère de lui montrer à tricoter pour qu'elle n'ait plus à lui fabriquer ses tuques – il y prend un tel plaisir qu'il fera du tricot son activité antistress avant les matchs importants.

SAVOIR S'AFFIRMER

Jacques Plante doit ses débuts dans une équipe organisée de hockey à... son opportunisme ! C'est que, en plus de jouer pour le plaisir, il assiste régulièrement aux matchs et aux pratiques de l'équipe de son école. Or, un jour, l'entraîneur se dispute avec son gardien qui, furieux, quitte la patinoire. Plante propose de le remplacer. L'entraîneur hésite puis accepte. Le nouveau gardien n'a que 12 ans, alors que les joueurs de son équipe sont âgés de 17 ou 18 ans ! Le jeune homme profite de l'occasion qui lui est offerte : il excelle dans son jeu, au point de devenir le gardien attitré du club.

Son talent inné attire rapidement l'attention des recruteurs, qui multiplient les offres pour l'enrôler dans leur équipe. Plante, conscient que ses parents souhaitent qu'il termine ses études, les refuse toutes jusqu'à l'obtention de son diplôme.

En 1947, alors qu'il vient d'avoir 18 ans, Jacques Plante accepte finalement de participer à la période d'entraînement de l'équipe junior des Canadiens de Montréal. Les dirigeants, satisfaits de son rendement, lui proposent un contrat que Plante refuse net : il leur signifie qu'il préfère retourner à la maison et travailler à l'usine, où il gagnera plus d'argent que s'il joue pour eux.

Il faudra encore deux ans avant que le tricolore parvienne à lui faire signer un contrat !

UN GARDIEN HORS-NORME

Dès qu'il se joint aux Canadiens de Montréal, Plante se démarque non seulement par son talent, mais aussi en transformant le style et le rôle du gardien de but... Jusque-là, les gardiens se campent devant leur filet, dont ils ne s'éloignent qu'au moment de sortir de la patinoire.

Plante a compris que, lorsqu'il s'avance vers l'attaquant adverse, il réduit ses angles de tir. En outre, il ose quitter son but lorsque la rondelle est lancée au fond de sa zone, de manière à rediriger lui-même la rondelle vers ses défenseurs et, ainsi, relancer rapidement l'attaque des siens. D'ailleurs, comme il dispose d'une vue d'ensemble sur tout ce qui se passe en patinoire, il aime bien, contrairement à ses homologues, diriger ses défenseurs. Il leur parle constamment et lève le bras pour leur signifier un possible dégagement : un geste qui sera ensuite adopté par les arbitres de la Ligue nationale.

Enfin, il est impossible d'évoquer les apports de Plante à l'évolution du rôle des gardiens de but sans parler du port du masque. En effet, pour éviter des blessures inutiles, il porte régulièrement un masque lors des séances d'entraînement de l'équipe, mais Toe Blake, l'entraîneur des Canadiens, refuse qu'il le porte lors des matchs.

Ce qui doit arriver arrive ! Lors d'une partie contre les Rangers de New York, Plante reçoit un tir d'Andy Bathgate juste sous l'œil gauche. Il s'effondre. On l'amène à l'infirmerie, où on lui fait sept points de suture, pendant que Toe Blake tergiverse. Les équipes ne disposant alors que d'un gardien, Plante arrive à le convaincre qu'il peut retourner dans la mêlée, mais qu'il le fera seulement avec son masque ! Blake accepte à contrecœur, préférant voir Plante devant le filet plutôt qu'un substitut fourni par l'équipe adverse.

Plante voit dans l'incident une occasion d'imposer son point de vue, mais il mène un combat bien solitaire : les directions d'équipe, les joueurs et plusieurs autres gardiens de la Ligue nationale voient dans le port du masque un signe de faiblesse et se moquent ouvertement de lui. Déjà qu'il tricote ! Opiniâtre, le gardien de but demande à être entendu par Clarence Campbell, président de la LNH. Celui-ci, faute d'arguments valables, l'autorise à porter son masque lors des matchs.

Comme Jacques Plante continue à gagner avec régularité, les critiques à ce sujet s'estompent peu à peu. Ironiquement, tous les gardiens qui se sont moqués de lui porteront à leur tour le masque à la fin de leur carrière...

FAITS SAILLANTS

À 4 reprises, il a dominé la ligue en remportant le plus grand nombre de victoires et, lors de 3 saisons consécutives, il s'est imposé comme le gardien ayant effectué le plus de blanchissages.

Jacques Plante a été intronisé au temple de la renommée en 1978, à sa 1re année d'admissibilité. Il est décédé en Suisse en 1986, 9 ans avant que les Canadiens retirent son chandail, le 7 octobre 1995.

MARIE-PHILIP POULIN

L'ÉTOILE BEAUCERONNE

Lorsqu'elle atterrit à l'aéroport international Jean-Lesage de Québec, Marie-Philip Poulin flotte toujours sur un nuage. Elle revient de Sotchi, où l'équipe canadienne de hockey féminin vient de remporter la médaille d'or. Une victoire dont elle est la grande responsable.

Avec cinq minutes à faire lors de la finale, les Américaines menaient 2-0. Marie-Philip Poulin, tout comme elle l'avait fait aux Jeux précédents, à Vancouver, a pris les choses en main. Après que sa coéquipière Brianne Jenner a inscrit les Canadiennes au pointage, Poulin a marqué le but égalisateur, avant de tromper de nouveau la vigilance de la gardienne américaine, cette fois en prolongation.

Rayonnante, sa médaille d'or au cou, la hockeyeuse franchit les douanes, heureuse de retrouver ses parents. En fait, c'est toute une délégation de sa Beauce natale qui l'acclame. Ils sont plus d'une centaine à être venus festoyer comme eux seuls savent le faire !

UN ENVIRONNEMENT FAVORABLE

Que de chemin parcouru par la jeune sportive ! Née le 28 mars 1991 à Beauceville, Marie-Philip Poulin chausse des patins depuis l'âge de 4 ans – des patins blancs, d'abord, qui la mènent au patinage artistique, une discipline qui ne lui plaît guère. Elle réalise vite que ce qui l'intéresse, c'est le hockey que pratique son grand frère Pier-Alexandre, qu'elle va voir jouer le plus souvent possible.

Constatant son intérêt pour notre sport national, ses parents lui proposent de faire un essai. La petite Marie-Philip délaisse donc ses patins blancs pour ses premiers patins de hockey. Encore faut-il qu'elle se trouve des partenaires de jeu ! Son frère l'impose d'abord à ses amis, puis elle intègre les équipes organisées de garçons, où les entraîneurs la traitent comme un membre à part entière. Ce n'est qu'à 15 ans, lorsqu'elle atteint le niveau Midget AAA, qu'elle réalise qu'il devient plus difficile de rivaliser en robustesse avec des adolescents remplis de testostérone.

Pour continuer à pratiquer son sport et pour apprendre l'anglais, Marie-Philip Poulin quitte la Beauce. Elle termine son secondaire à la Kuper Academy à Kirkland, tout en s'alignant avec les Stars de Montréal, une équipe professionnelle de la Ligue canadienne de hockey féminin. Elle est élue recrue de l'année, grâce à ses 43 points inscrits en seulement 16 matchs.

Elle étudie ensuite au cégep Dawson, à Montréal. En plus de faire partie de l'équipe du collège, dont elle s'avère la bougie d'allumage, elle joue toujours pour les Stars, avec qui elle conquiert la coupe Clarkson au printemps 2009. Vite repérée, la joueuse de centre reçoit une invitation pour joindre l'équipe nationale féminine. À 17 ans, ses premiers coups de patin aux côtés des Kim St-Pierre, Catherine Ward, Caroline Ouellette et Hayley Wickenheiser la laissent sans... jambes! En effet, elle est si impressionnée par leur jeu qu'elle en oublie parfois de patiner!

LA « SYDNEY CROSBY »

Arrivent les Jeux olympiques de Vancouver. Encore une parfaite inconnue pour la majorité des Canadiens, Marie-Philip Poulin s'impose lors de la finale, que le Canada gagne 2-0 contre les Américaines. Poulin marque les deux buts de son équipe dans un match âprement disputé entre les deux éternelles rivales. C'est à la suite de sa performance que certains chroniqueurs la qualifient de « Sydney Crosby féminine », notamment en raison de son coup de patin fluide, de sa vision du jeu, de son instinct, de son efficacité lors des mises en jeu, mais aussi et surtout parce qu'elle sait se démarquer lorsque ça compte.

Un fait divers vient cependant gâter l'euphorie de la nouvelle chouchou du hockey. Une photo fait le tour du pays : on l'y voit boire avec les autres membres de son équipe après leur victoire. Certains lui reprochent d'avoir consommé de l'alcool alors qu'elle n'a que 18 ans, l'âge légal pour ce faire étant de 21 ans en Colombie-Britannique. Cette histoire en apparence anodine lui fait prendre conscience des responsabilités qui viennent avec le statut de joueuse vedette. Elle comprend que, désormais, chacun de ses gestes sera épié.

Autrement, ses performances, en plus d'en faire une héroïne nationale, lui ouvrent les portes des meilleurs programmes américains de développement. Elle est notamment courtisée par l'Université du Dakota du Nord et l'Université de Minnesota Duluth. Or, c'est Boston que la jeune femme choisit pour faire ses études en psychologie et jouer au hockey.

Elle s'y démarque comme joueuse en aidant son équipe à se rendre au championnat universitaire dès sa première année, mais elle est aussi très appréciée comme coéquipière. En effet, Marie-Philip Poulin, qui bénéficie pourtant d'un statut de vedette, côtoie avec autant de plaisir et d'intérêt toutes les joueuses, qu'elles soient du premier ou du quatrième trio. Le seul reproche qu'on lui adresse parfois, c'est celui d'être trop réservée, alors que l'on s'attend, tant à Boston qu'au sein de l'équipe nationale canadienne, à ce qu'elle affiche une attitude plus affirmée, moins silencieuse ! Elle prétend, un sourire timide aux lèvres, qu'elle y travaille...

Elle a encore beaucoup de temps et de hockey devant elle pour y parvenir !

FAITS SAILLANTS

Les 2 saisons que Marie-Philip Poulin a passées avec l'équipe nationale du Canada des moins de 18 ans lui ont permis de devenir la meilleure marqueuse de tous les temps, avec 31 points remportés en 17 matchs internationaux.

Championne olympique en 2010 et en 2014, elle est championne du monde en 2012.

Marie-Philip Poulin a aussi obtenu 3 médailles d'argent aux Championnats du monde.

MAURICE RICHARD

TRÉSOR NATIONAL

S'il reste peu de gens qui l'ont vu jouer, la grande majorité des Québécois porte pourtant Maurice Richard dans son cœur; tous connaissent la fougue et le courage qui l'animaient, tous se l'imaginent transporter la rondelle à partir de la ligne bleue, bousculer ses adversaires au passage, se présenter devant le filet adverse et déjouer le gardien.

Tous savent aussi que le « Rocket » est beaucoup plus qu'un joueur de hockey, même s'il a toujours prétendu le contraire. Pour les Canadiens français de son époque, Richard est un héros national. Un homme de peu de mots, comme eux, qui, soir après soir, se retrousse les manches et s'acharne à démontrer son courage et sa détermination. Maurice Richard incarnait, sans le vouloir, toute une nation.

Il est donc peu étonnant qu'au moment de son décès, en 2000, des milliers de personnes fassent patiemment la file pour lui rendre un dernier hommage. Richard a droit à des funérailles nationales télévisées, une première pour un athlète.

LE HOCKEY DANS LE SANG

Né à Montréal en 1921, Maurice Richard commence à patiner à 4 ans et joint son premier club de hockey, celui de l'école Saint-François-de-Laval, à 11 ans. Le garçon est surdoué, et plusieurs équipes souhaitent le voir évoluer au sein de leur formation. C'est ainsi qu'à 16 ans, il s'aligne avec quatre équipes en même temps, se consacrant au hockey 7 jours sur 7. Il trouve néanmoins le temps de suivre des cours de boxe afin de gagner en robustesse, comme on le lui a suggéré.

Remarqué par Aurèle Joliat et Arthur Therrien, le jeune Richard joint l'équipe séniore des Canadiens de Montréal, où il évolue pendant deux saisons. Blessé à une cheville, il est exempté de son service militaire et peut donc poursuivre sa carrière, cette fois avec la seule équipe qui compte vraiment pour lui : les Canadiens de Montréal.

Lorsqu'il signe son premier contrat avec le tricolore en octobre 1942, le club montréalais jouit certes d'une bonne réputation dans le monde du sport, mais elle n'a encore rien de l'équipe mythique qu'elle deviendra, en partie grâce à lui. Au contraire, les Canadiens traversent une période difficile de restructuration... En d'autres termes : le club n'a pas gagné la coupe Stanley depuis 13 ans.

Le Rocket amorce sa première saison avec les Canadiens en 1942-1943, mais il se fracture une jambe après seulement 16 matchs. La direction, qui redoute que le joueur ne soit pas assez solide physiquement pour évoluer dans la Ligue nationale de hockey, tente de l'échanger aux Rangers de New York. La transaction avorte, et le bleu, blanc, rouge le cède à son club-école.

Maurice Richard amorce la saison suivante en lion, ce qui rassure ses patrons. Il compte 32 buts pendant la saison, un record pour une recrue, et en ajoute une douzaine d'autres au cours des séries, ce qui permet aux Canadiens de remettre enfin la main sur le trophée le plus convoité de la LNH.

La fièvre du hockey revient à Montréal. Alors que les Canadiens remplissent les buts adverses, les gradins débordent d'admirateurs qui assistent à la naissance d'une légende.

VOUÉ À LA VICTOIRE

D'une saison à l'autre, Maurice Richard se retrouve parmi les meilleurs marqueurs de la LNH. Il inscrit au moins 20 buts lors de 14 saisons consécutives, connaît 9 saisons de 30 buts et 5 de 40 buts et plus. En outre, Richard devient le premier joueur à atteindre le plateau des 50 buts en 50 matchs lors de la saison 1944-1945.

Avec de telles statistiques, inutile de mentionner que les équipes adverses désignent des joueurs dont le seul objectif sera de l'empêcher de marquer ! Tous les coups sont permis, de la bagarre aux tactiques plus vicieuses visant à le blesser. Mais, les statistiques le démontrent, rien ne parvient à ralentir le Rocket, qui sait rendre coup pour coup.

Grâce à l'apport exceptionnel de Maurice Richard, les Canadiens de Montréal remportent huit coupes Stanley. Ses coéquipiers, conscients qu'il est l'assise principale du club, le couronnent capitaine lors de la saison 1956-1957. Peu loquace, l'homme joue son rôle de meneur en prêchant par l'exemple.

À la fin de la saison 1959-1960, Maurice Richard, ralenti par les blessures et constatant une baisse de ses réflexes, annonce qu'il prend sa retraite. Il est alors le joueur le plus électrisant de sa génération, dominant la Ligue avec 544 buts et 965 points en saison régulière, et cumulant pas moins de 82 buts en séries éliminatoires, un sommet.

HENRI RICHARD

Si Henri Richard, que l'on surnommait le « Pocket Rocket » en raison de sa petite taille, a joué dans l'ombre de son frère Maurice, il n'a pas moins laissé sa marque dans la LNH.

Rapide, fougueux et aussi déterminé que son frère, Henri Richard a su montrer, à compter de la saison 1955-1956, qu'il méritait sa place dans le grand club en participant régulièrement au pointage. Il domine la LNH à 2 reprises au chapitre des mentions d'aide et franchit le cap des 20 buts à 9 reprises.

Henri Richard a remporté 11 coupes Stanley, ce qui fait de lui le plus grand champion individuel de la LNH à ce jour.

PATRICK ROY

LE CERBÈRE SUPERSTITIEUX

Si certains grands sportifs, peu importe les exploits qu'ils réalisent, échappent aux projecteurs ou préfèrent rester dans l'ombre, ce n'est certes pas le cas de Patrick Roy, qui est sous les feux de la rampe depuis le début de sa carrière professionnelle, tant pour ses performances sportives exceptionnelles que pour son caractère parfois explosif.

Le joueur vedette, qui a imposé son style papillon, explique son succès et l'attention qu'on lui porte par sa ténacité, son engagement de tous les instants et les sacrifices qu'il a faits. Des valeurs qu'il estime en voie de disparition.

DONNER SON 110%

De la ténacité et du caractère, c'est bien vrai qu'il lui en a fallu ! Dès l'enfance, lorsqu'il se joint à ses amis pour jouer au hockey, le jeune

Patrick est souvent le dernier à être choisi pour former les équipes. Peu étonnant que le jeune homme s'imagine davantage faire carrière comme notaire ou avocat que comme futur vedette de la LNH ! En fait, sa seule certitude, et ce, dès l'âge de 6 ans, c'est qu'il veut être devant le filet : il a une fascination pour les jambières des gardiens de but !

De fil en aiguille, Patrick Roy finit malgré tout par s'inscrire dans une ligue organisée, où il remporte ses premières victoires importantes. Il découvre que la victoire peut être grisante ! Le problème, c'est qu'il ne gagne pas toujours et qu'il lui faut apprendre à perdre. Or, il déteste perdre...

Si l'idée d'abandonner le hockey lui frôle l'esprit à quelques reprises, Roy choisit de poursuivre dans cette voie. Son objectif : s'améliorer comme gardien de but. Sa persévérance lui vaut d'être repêché à 17 ans par les Bisons de Granby, au sein de la Ligue de hockey junior majeur du Québec. Malheureusement, l'équipe se morfond aux derniers rangs du classement. Il doit souvent faire face à une quarantaine de lancers par match ; il en recevra même 82 un soir où son équipe connaît l'une de ses pires dégelées !

Même si les Bisons ne vont nulle part, la moyenne de buts alloués par Roy est suffisamment bonne, dans les circonstances, pour que les recruteurs des Canadiens de Montréal le recommandent lors du repêchage de 1984. Il se joint alors aux Canadiens de Sherbrooke, qui est alors le club-école des Canadiens de Montréal dans la ligue américaine. Il s'agit d'une bénédiction pour Roy, qui renoue enfin avec la victoire. Il remporte 10 des 13 matchs qu'il joue avec le club, avec qui il remportera la coupe Calder.

ENTRÉE ET SORTIE FRACASSANTES

Patrick Roy se taille une place comme gardien recrue des Canadiens de Montréal lors de la saison 1985-1986. En cours de saison, il déloge Steve Penney, le gardien numéro un, et ses prouesses devant le filet permettent même aux Canadiens de remporter la coupe Stanley ! Le tricolore étant, on le sait, une véritable religion au Québec, Patrick Roy devient sur-le-champ saint Patrick !

En plus de sa sacralisation par les partisans, Roy se voit décerner le trophée Conn-Smythe, remis au joueur le plus utile à son équipe lors des séries éliminatoires. À 20 ans, il est le plus jeune joueur à avoir reçu cet honneur.

Au cours de la décennie suivante, le jeune gardien de but domine la Ligue nationale de hockey, remportant à plusieurs reprises le trophée Jennings, puis un premier trophée Vézina en 1989. Par ailleurs, Roy se surpasse une nouvelle fois au cours de la saison 1992-1993, permettant aux Canadiens de mettre la main sur la coupe Stanley, la dernière remportée par le club à ce jour.

Les glorieux s'apprêtent toutefois à traverser une période orageuse. D'abord, en 1994-1995, le tricolore rate les séries pour la première fois en 25 ans. Le début de la saison suivante n'est guère plus reluisant : l'entraîneur Jacques Demers est alors remercié de ses services et remplacé par Mario Tremblay.

La suite fait partie de l'histoire. Lors du match du 2 décembre 1995 contre les Red Wings de Détroit, Patrick Roy, furieux que Tremblay ne l'ait pas retiré plus rapidement du match lors d'une cause perdue, s'adresse directement et publiquement à Ronald Corey, le président, et lui annonce qu'il vient de disputer son dernier match avec l'équipe. Du jamais vu chez les Canadiens... Quatre jours plus tard, le gardien vedette est échangé à l'Avalanche du Colorado.

Cet échange va permettre à Roy de remporter une troisième fois la coupe Stanley, quelques mois après avoir rejoint sa nouvelle équipe. Au cours des années suivantes, il contribuera à faire de l'Avalanche une des meilleures équipes de l'Association de l'Ouest. Il y gagne en 2001 sa quatrième coupe Stanley.

En annonçant sa retraite en 2003, il amorce sa carrière d'entraîneur, d'abord avec les Remparts de Québec, puis avec l'Avalanche.

SUPERSTITIEUX, VOUS DITES ?

Si le talent de Patrick Roy est célébré avec raison dans toute la LNH, le joueur est aussi réputé pour être l'un des sportifs les plus superstitieux.

Des exemples ? Avant chaque match, le gardien dépose minutieusement sur le sol tout son équipement. Il s'habille ensuite en respectant un ordre précis. Malheur à quiconque oserait déplacer ne serait-ce que de quelques centimètres l'une des pièces étalées par terre ! Roy, en plus de se mettre en colère, recommence alors tout le processus du début.

Patrick Roy s'assure aussi, en entrant comme en sortant de la patinoire, que ses patins ne touchent jamais aux lignes bleues ni à la ligne rouge. Il s'adresse fréquemment à ses poteaux et les remercie lorsque ceux-ci font un arrêt pour lui.

Et ce ne sont là que ses manies les plus connues...

FAITS SAILLANTS

– Entre autres honneurs, Patrick Roy a remporté les trophées Vézina et Conn-Smythe à 3 reprises, et le trophée Jennings à 5 occasions.

– Au moment de sa retraite, il est le gardien ayant obtenu le plus de victoires (551), ainsi que celui ayant joué le plus de matchs, en saison régulière (1029) et en séries éliminatoires (247). Il est aussi celui qui a réussi le plus de blanchissages en séries (23).

Roy a été intronisé au temple de la renommée du hockey à sa première année d'éligibilité, et son chandail a été retiré, tant par les Canadiens de Montréal que par l'Avalanche du Colorado.

SERGE SAVARD

DE LA GLACE AUX COULISSES...

Né en 1946 à Landrienne, une petite municipalité de l'Abitibi-Témiscamingue, Serge Savard joue 14 saisons complètes avec les Canadiens de Montréal avant d'en devenir le directeur général pendant 12 ans. Difficile de nier qu'il est l'un de ceux ayant eu le plus d'impact sur cette organisation !

Savard se distingue d'abord au sein du « Big Three », ce remarquable trio de défenseurs offensifs qu'il forme avec Guy Lapointe et Larry Robinson, puis comme membre influent de l'équipe de direction qui parvient à maintenir, pendant un bon moment, les Canadiens au plus haut niveau.

DE BON SOLDAT...

Serge Savard signe son premier contrat avec l'organisation des Canadiens de Montréal alors qu'il n'a que 15 ans. Il fait d'abord partie du club-école de hockey junior du tricolore, avant de joindre définitivement le bleu, blanc, rouge lors de la saison 1967-1968.

Bien qu'on ait peu recours à ses services en début de saison, Savard gagne peu à peu du temps de glace et l'assentiment des amateurs grâce à son calme, sa rapidité, son maniement efficace de la rondelle et ses pirouettes sur lui-même, qui lui font éviter les mises en échec ou contourner un adversaire ! C'est donc sans gêne qu'à la fin de sa première saison, il inscrit son nom sur la coupe Stanley.

La saison suivante confirme son talent offensif, Savard contribuant régulièrement au pointage. Durant les éliminatoires de 1968-1969, il inscrit 10 points en 14 matchs, ce qui lui permet de soulever une nouvelle fois la coupe Stanley et de se voir décerner un honneur individuel, le trophée Conn-Smythe, remis au joueur le plus utile des séries.

Désormais bien installé au sein d'une équipe qui a un esprit de corps exceptionnel, Savard s'affirme comme un élément incontournable des Canadiens. Il est d'autant plus fiable qu'il est rarement blessé. Par contre, lorsqu'il tombe au combat, il s'absente pour de longues périodes. À deux reprises en moins de 11 mois, lors de la saison 1971-1972, il se fracture une jambe, ce qui l'oblige à modifier son jeu. Ralenti par ses blessures, Savard devient un joueur plus axé sur la défensive. Même moins rapide, il est difficile à contourner et il n'hésite jamais à se jeter devant les tirs des adversaires pour aider son gardien.

Sa transformation est à ce point réussie qu'il est sélectionné par Équipe Canada pour affronter les Soviétiques lors de la Série du siècle en 1972. Serge Savard est envoyé dans la mêlée lors de cinq rencontres : les quatre victoires de l'équipe et un match nul.

Le hockeyeur est aussi devenu un redoutable homme d'affaires, qui s'affirme de plus en plus comme un meneur au sein du club. Aussi, peu d'amateurs s'étonnent que ses coéquipiers le choisissent pour succéder à Yvan Cournoyer comme capitaine. Il ne le sera toutefois qu'un court moment, puisque celui qu'on surnomme « le Sénateur » décide de prendre sa retraite à la fin de la saison 1980-1981.

À peine Savard a-t-il accroché ses patins qu'il les rechausse à l'invitation de son ami John Ferguson : celui-ci l'invite à grossir les rangs des Jets de Winnipeg, avec lesquels Savard jouera deux saisons supplémentaires.

… À GÉNÉRAL

Ce n'est pas la retraite qui amènera Serge Savard à accrocher définitivement ses patins de joueur, mais une offre qu'il ne peut refuser : devenir le directeur général des Canadiens de Montréal. La Sainte-Flanelle a alors besoin d'un miracle pour se sortir de la torpeur dans laquelle elle est plongée depuis un moment.

Sous la gouverne de Savard, la nouvelle équipe de direction se dote d'abord, en 1983, d'un plan de relance. Son objectif ? Reconquérir la coupe Stanley dans un laps de temps de cinq ans. Le club y parviendra trois ans plus tard. Comment ? Entre autres, en misant sur les sessions de repêchage. En quelques années, le tricolore s'assure notamment les services de Petr Svoboda, de Shayne Corson, de Stéphane Richer, d'Éric Desjardins, de Patrice Brisebois et de Patrick Roy : autant de grands athlètes qui permettront à Savard de remporter deux autres coupes Stanley, cette fois en tant que directeur général (celle de 1986 et leur dernière à ce jour, celle de 1993).

Deux ans plus tard, Savard est remercié – certains diront cavalièrement. Même le principal intéressé ne saisit pas vraiment les raisons de son congédiement.

Le lien se rétablira avec le temps...

FAITS SAILLANTS

Le joueur

Serge Savard soulèvera à huit reprises la coupe Stanley en tant que joueur, et deux fois à titre de directeur général.

Il recevra aussi les trophées Conn-Smythe et Bill-Masterton.

Le directeur général

Lors du règne de 12 ans de Savard, les Canadiens de Montréal ont remporté 4 championnats de division, pris part aux séries éliminatoires 11 fois consécutives, et participé à 3 finales de la coupe Stanley, qu'ils ont remportées 2 fois.

LA COURSE

BRUNY SURIN

LE RÉSILIENT

D'origine haïtienne, les parents de Bruny Surin choisissent d'immigrer au Québec pour offrir un meilleur avenir à leurs enfants. Le jeune Bruny, alors âgé de 8 ans, n'en est pas du tout convaincu lorsqu'il débarque au Québec avec ses trois sœurs, au début de janvier 1975.

D'abord, il y a ce froid mordant qu'aucun vêtement ne semble parvenir à bloquer. Et puis, à l'école, Surin découvre trop vite un phénomène qui lui glace le cœur : les conflits raciaux.

Heureusement, il y a le sport. Le jeune garçon adore le basket-ball, et il brille lors des compétitions d'athlétisme qui se tiennent à la fin de chaque année scolaire. C'est Daniel St-Hilaire, entraîneur au club Montréal-International, qui le convainc de se dédier à plein temps à l'athlétisme.

BLANCHIR SON SPORT

Bruny Surin se lance dans un programme d'entraînement physique et mental rigoureux. Il pratique d'abord le saut en longueur et le triple saut. St-Hilaire lui permet de croire en ses moyens et guide sa préparation à l'aide de techniques de visualisation et de méditation. Les résultats sont probants: en 1987, l'athlète participe aux Championnats du monde à Rome, où il côtoie son idole Carl Lewis.

Fort de cette première expérience, Surin se qualifie au saut en longueur pour les Jeux olympiques de Séoul. Malheureusement, ces jeux sont entachés par la disqualification pour dopage du Canadien Ben Johnson au 100 mètres. Avec lui, c'est tout l'athlétisme canadien qui est terni et dont il faut désormais refaire l'image.

Après Séoul, Surin, souvent ralenti par des blessures causées par la pratique du saut en longueur, se réoriente vers la course; il espère démontrer qu'il est possible de se classer parmi les meilleurs sans se doper. Il réalise qu'il a indéniablement trouvé sa voie lorsqu'il termine premier au sprint lors des Championnats canadiens.

Très performant dans sa nouvelle discipline, Surin se qualifie pour les Jeux du Commonwealth, qui se tiennent à Auckland, en Nouvelle-Zélande, en 1990. Alors qu'au Canada sévit une crise quant à la sous-représentation des athlètes québécois au sein de la délégation canadienne, Surin ignore tout le bruit qui l'entoure et remporte une médaille de bronze.

Bruny Surin poursuit sa lancée et gagne deux années d'affilée le titre de champion canadien. Puis, il participe en 1992 aux Jeux olympiques de Barcelone, où il termine 4e au 100 mètres, à seulement 5 centièmes de seconde de la médaille de bronze. L'année suivante, il obtient un premier titre international en étant sacré Champion du monde au 60 mètres – un titre qu'il remportera à nouveau en 1995. En 1993 également, Surin établit un nouveau record canadien au 100 mètres, en plus de gagner le bronze avec ses coéquipiers au 4 x 100 mètres lors des Championnats du monde de Stuttgart.

L'année 1995 s'avère également une année marquante pour l'athlète. Aux Championnats du monde, il gagne d'abord la médaille d'or au 4 x 100 mètres, avant d'être proclamé vice-champion du monde au 100 mètres, tout juste derrière son compatriote Donovan Bailey.

Bruny Surin se présente donc confiant aux Jeux olympiques d'Atlanta en 1996. Or, ces Jeux sont pour lui une énorme déception. L'athlète contre-performe en qualification et il est éliminé en demi-finale. Une première dans sa carrière. Seule consolation, l'équipe canadienne de relais 4 x 100 mètres, dont il est membre, réalise l'impossible : battre les Américains chez eux. Tout le pays est en liesse après cet exploit !

RÉAPPRENDRE À COURIR

Après les Jeux d'Atlanta, les courses individuelles auxquelles Surin participe sont souvent décevantes. Celui-ci en arrive même à se demander si, à 31 ans, sa carrière n'est pas terminée. Avant de mettre au clou ses chaussures de course, il fait appel à Dan Pfaff, qui a eu un impact majeur sur le développement de Donovan Bailey. Son verdict est impitoyable : Surin court mal !

Pfaff lui réapprend littéralement à courir. Résultat : Surin bat Bailey lors du Championnat canadien suivant et réalise un temps de 9,89 secondes, la 8e meilleure performance mondiale à vie. Et ce n'est qu'un début ! À Séville, lors des Championnats du monde de 1999, Maurice Greene et Bruny Surin réalisent le 100 mètres le plus rapide de l'histoire. Surin termine deuxième avec la deuxième meilleure performance mondiale. Ce sprint historique demeure l'un de ses plus beaux souvenirs, d'autant plus qu'à cette occasion, il bat le meilleur temps de son idole Carl Lewis.

Une malheureuse blessure l'empêchera par la suite de ratteindre ce niveau de compétition ; il doit se résoudre à la retraite en 2002.

FAITS SAILLANTS

Au cours de sa carrière, Bruny Surin s'est classé parmi les 10 meilleurs sprinteurs du monde à 5 reprises. Il a couru à 7 reprises le 100 mètres sous la barre des 10 secondes, son meilleur chronomètre étant de 9,84 secondes.

LES ATHLÈTES PARALYMPIQUES

CHANTAL PETITCLERC

DÉTERMINÉE ET COMPÉTITIVE

Si certains s'accommodent mal de la fatalité et de ses conséquences, Chantal Petitclerc, après l'accident qui la laisse paraplégique à 14 ans, montre, au contraire, une détermination hors du commun. C'est cette détermination qui changera sa vie.

La jeune femme, qui n'a jusque-là jamais manifesté d'intérêt particulier pour le sport, découvre en l'activité physique un moyen de passer à travers son épreuve. Pour retrouver la forme, elle s'intéresse d'abord à la natation. Puis, au centre de réadaptation qu'elle fréquente, elle rencontre un entraîneur qui l'encourage à se tourner vers les sports en fauteuil roulant. Pierre Pomerleau est loin de s'imaginer à quel point son conseil sera inspirant !

RÉUSSIR MALGRÉ L'ADVERSITÉ

Chantal Petitclerc se met donc à l'entraînement. Quatre ans plus tard, à Sherbrooke, elle participe à sa première compétition dans un fauteuil rafistolé. Elle termine dernière, mais on lui octroie la mention de meilleur espoir. Surtout, on lui donne un véritable fauteuil de course.

La suite n'est pas facile pour autant. On refuse à Petitclerc l'accès à des pistes d'entraînement, sous prétexte que les roues de son fauteuil pourraient les abîmer. Par ailleurs, comme son sport est ignoré par la plupart des médias, la jeune femme peine à trouver du financement.

Faisant contre mauvaise fortune bon cœur, Chantal Petitclerc participe au cours des mois qui suivent à de nombreuses compétitions sur la scène canadienne et remporte la plupart d'entre elles. En 1991, elle se sent d'attaque pour se mesurer aux athlètes évoluant sur la scène internationale. Elle s'assure les services d'un nouvel entraîneur, Peter Eriksson.

Alors que sur la scène mondiale, plusieurs athlètes se concentrent soit sur les épreuves de sprint, soit sur les longues distances, Chantal Petitclerc décide de s'attaquer aux deux disciplines, prête à s'imposer dans chacune d'elles. Bien conseillée, mais surtout extrêmement déterminée, elle bat un à un tous les records canadiens et établit même un record mondial au 100 mètres.

En peu de temps, donc, l'athlète qui s'entraîne presque toujours seule se hisse au niveau de l'élite sportive mondiale. Bien sûr, elle compte s'y maintenir le plus longtemps possible ! Pour y arriver, elle s'astreint à des entraînements de 4 heures par jour, 6 jours par semaine, 11 mois par année.

VAINCRE LES PRÉJUGÉS

Au fil des ans, Chantal Petitclerc se forge une solide réputation dans les différents Championnats du monde, où elle cumule les médailles. Comme beaucoup d'autres grands sportifs, elle rêve de s'illustrer aux Jeux paralympiques – tout en souhaitant, en son for intérieur, qu'ils soient un jour partie intégrante des Jeux olympiques.

En attendant, à Barcelone en 1992, elle se classe 3e au 100 mètres et au 200 mètres. Puis, à Atlanta en 1996, elle remporte 5 médailles : l'or au 100 et au 200 mètres, ainsi que l'argent au 400, au 800 et au 1500 mètres. Enfin, lors des Jeux de Pékin en 2008, Petitclerc est médaillée d'or 5 fois et établit le même nombre de records paralympiques.

Au lendemain de ces Jeux, elle annonce qu'elle vient de réaliser ses dernières compétitions sur piste. L'athlète explique qu'elle préfère se retirer alors qu'elle est au sommet de sa carrière. Difficile, en effet, d'espérer faire mieux que d'être la meilleure du monde !

Petitclerc n'abandonne pas pour autant toute forme de compétition. Elle se consacre désormais aux marathons, dont les plus prestigieux, comme celui de Boston. Elle n'est pas néophyte dans cet univers, puisqu'elle a déjà gagné ceux de Winnipeg, de Toronto, de Montréal et d'Ottawa.

Et puis, comme elle le fait depuis ses débuts, Petitclerc continue à se battre contre les préjugés auxquels les athlètes handicapés doivent encore faire face, même si l'on sent qu'ils s'estompent peu à peu. Combien de fois a-t-elle dû s'opposer à ceux qui évoquent la faiblesse de certains compétiteurs, qui croient qu'un handicapé ne peut pas vraiment réaliser de hautes performances, pour leur faire comprendre que son fauteuil est un instrument au même titre que le sont un vélo ou un kayak ?

Elle profite par ailleurs de toutes les tribunes qui lui sont offertes pour souligner une autre discrimination dont sont victimes les athlètes paralympiques : ceux-ci ne reçoivent aucuns bonus récompensant leurs performances, au contraire des athlètes olympiques qui remportent des médailles. Pourquoi donc ?

Enfin, les nombreux hommages et prix qu'elle a reçus depuis son retrait des compétitions sur piste lui ont aussi fait prendre conscience que ses prouesses sont une source de motivation pour d'autres personnes et qu'elle a un impact positif sur la vie de plusieurs.

FAITS SAILLANTS

Seulement dans le cadre des Jeux paralympiques, Chantal Petitclerc gagne 21 médailles, dont 14 d'or.

En plus de ses innombrables médailles, elle a reçu de nombreux honneurs, entre autres :

– la Médaille pour service méritoire, décernée par la Gouverneure générale du Canada ;

– le titre de personnalité de l'année du magazine *Maclean's* et celui de femme de l'année du magazine *Châtelaine* ;

– une mention d'honneur de la Fédération internationale d'athlétisme amateur pour sa contribution à l'avancement de la femme en athlétisme.

ANDRÉ VIGER

RECOMMENCER À ZÉRO

Aux dires de son père, André Viger a eu une enfance et une adolescence tout à fait comparables à celles des autres enfants nés, comme lui, dans les années 1950. Il connaît un parcours scolaire ni meilleur ni pire que celui de ses camarades, puis se trouve un emploi dans une usine de Sherbrooke.

Comme des milliers de Québécois qui s'engagent dans la Révolution tranquille, cet Ontarien de naissance, arrivé à Sherbrooke à l'âge d'un an, espère gagner sa vie convenablement, tout en participant à l'émancipation sociale et politique du Québec.

Toutefois, en juin 1973, un drame bouleverse ses projets. Passager d'une voiture dont le conducteur s'endort au volant, Viger absorbe une partie de l'impact lorsque le véhicule dérape dans une courbe et effectue une sortie de route.

À son réveil, le jeune homme, alors tout juste âgé de 20 ans, apprend brutalement qu'il a perdu à tout jamais l'usage de ses deux jambes.

Si les semaines qui suivent l'accident sont difficiles sur les plans moral et physique, Viger, après un moment d'abattement, prend une décision ferme : il est hors de question que sa paraplégie l'empêche de mener la vie la plus normale possible.

LE SPORT, PLANCHE DE SALUT !

Pendant sa période de réadaptation, un ami qui sait que Viger aime se dépenser physiquement lui apprend que le sport en fauteuil roulant est en pleine expansion ; il l'encourage à s'informer sur le sujet. André Viger découvre que si ce que lui a dit son ami est vrai dans certains pays, au Canada, peu d'encadrement et de structures existent. Les rares athlètes de ces disciplines sont le plus souvent laissés à eux-mêmes. Qu'à cela ne tienne, il est maintenant déterminé à se faire une nouvelle vie !

Comme il ne sait trop par où commencer, il essaie plusieurs disciplines, dont la natation, le lancer du disque et l'haltérophilie : autant d'activités qui, sans qu'il s'en rende compte, développent la musculature de son torse, de ses bras et de ses épaules, ce qui lui permet de se déplacer plus aisément en fauteuil. Puis le déclic se fait : il s'adonnera à la course en fauteuil roulant.

Ce sport, comme bien d'autres, n'en est qu'à ses balbutiements. À preuve, lorsqu'en 1979, Viger participe à son premier marathon de Montréal, ils ne sont que deux athlètes en fauteuil sur la ligne de départ ! Une situation qui, plutôt que de le décourager, l'incite à s'impliquer davantage dans la défense et la promotion de son sport. Il va jusqu'à bricoler ses propres fauteuils pour en améliorer les performances !

Son enthousiasme est tel que les prouesses qu'il réalise le font connaître sur la scène internationale, alors qu'il multiplie les performances exceptionnelles aux Jeux paralympiques. Profitant de sa renommée, Viger s'implique dans des campagnes de sensibilisation et expose les difficultés que rencontrent les personnes à mobilité réduite dans leur vie de tous les jours. Il cherche ainsi à inciter les décideurs à réglementer l'accessibilité aux bâtiments publics afin qu'elle devienne obligatoire.

L'athlète pourra d'autant plus se consacrer à cette cause que sa carrière s'échelonne sur une longue période. En effet, de 1979 à 1997, André Viger participe à cinq Jeux paralympiques où il remporte trois médailles d'or, quatre médailles d'argent et trois médailles de bronze, et ce, bien qu'il ne dispose pas du même soutien financier et technique que plusieurs de ses adversaires.

Viger établit aussi de nombreux records du monde au 1500, au 5000 et au 10 000 mètres. Mais sa compétition de prédilection demeure le marathon : il les gagne presque tous, dont ceux de Paris, de Sempach, en Suisse, de Los Angeles, de Montréal (à trois reprises) et d'Oita, au Japon (à quatre reprises).

Ses performances tracent la voie à d'autres athlètes handicapés, comme Rick Hansen et Jeff Adams, séduits par la détermination de cet homme qui s'est reconstruit une vie et qui est devenu, grâce à ses efforts, un des plus grands athlètes canadiens.

André Viger décède des suites d'un cancer le 1er octobre 2006. Il avait 54 ans.

FAITS SAILLANTS

Les mérites d'André Viger seront reconnus sur le plan tant sportif qu'humain.

En 1985, il cumule les honneurs :

– Il reçoit le prix Vanier récompensant l'un des 5 jeunes Canadiens les plus extraordinaires ;

– Il est nommé athlète masculin par excellence par le Club de la médaille d'or, ainsi qu'athlète par excellence lors du Mérite sportif de Sports Québec ;

– Il reçoit le trophée Gil-O.-Julien, récompensant le meilleur athlète de langue française au Canada ;

– La Jeune Chambre de commerce mondiale, réunie à Carthagène, le consacre « l'une des 7 personnes les plus remarquables du monde » ;

– En 1986, André Viger obtient de la Société Saint-Jean-Baptiste de Montréal le prix Maurice-Richard, et le Gala Excellence La Presse le désigne Personnalité de l'année ;

– En 1987, il est fait Chevalier de l'Ordre national du Québec et reçoit, deux ans plus tard, le titre d'Officier de l'Ordre du Canada.

LE BASEBALL

RUSSELL MARTIN

SAVOIR SAISIR LA BALLE AU BOND

Lorsque, au printemps 2015, les Blue Jays de Toronto disputent deux matchs hors concours au stade olympique de Montréal, Russell Martin réalise un rêve d'enfance. Au total, quelque 100 000 personnes partageront la concrétisation de son rêve, tout en se souvenant avec nostalgie, eux aussi, de l'époque où Montréal avait son propre club !

D'ailleurs, le jour du premier match de cette courte série, Martin prend le métro avec son père, comme ils le faisaient à l'époque où ils assistaient ensemble aux matchs des Expos. De beaux souvenirs tant pour le fils que pour le père, Russell Martin Sr., qui, à l'occasion, a joué du saxophone dans ce métro afin de pouvoir payer l'entraînement de son fils.

ENFANT DE LA BALLE

Né en 1983 à East York, en Ontario, Russell Martin n'y demeure que peu de temps. Ses parents se séparent, et il s'installe avec son père à Winnipeg. C'est là que celui-ci l'initie, malgré son jeune âge, aux rudiments du baseball. Il invente même des exercices pour favoriser le développement des réflexes et la précision des lancers de son fils. Martin dira plus tard qu'il a appris à parler baseball avant de maîtriser ses deux langues maternelles, le français et l'anglais, et qu'encore aujourd'hui, c'est sans doute la langue qu'il parle le mieux !

Changement radical de décor et d'ambiance : le jeune Martin va vivre un temps avec sa mère, Suzanne Jeanson, une chanteuse canadienne-française. Ils habitent tour à tour à Chelsea puis à Paris, où il passe deux ans avant de revenir s'installer avec son père, cette fois à Montréal, dans le quartier Notre-Dame-de-Grâce. Le jeune homme renoue alors avec sa passion, le baseball.

Après avoir terminé son secondaire à la polyvalente Édouard-Montpetit, Martin obtient une bourse sport-études du Chipola College, en Floride, ce qui lui permet de continuer à se dévouer au baseball. Il y occupe le troisième but. La puissance qu'il déploie chaque fois qu'il revêt son uniforme de jeu est vite remarquée par les recruteurs des ligues supérieures, qui espionnent très tôt les jeunes joueurs pour s'assurer qu'aucune perle rare ne leur échappe. Russell Martin en est une !

Cette intensité qui lui a permis de se distinguer lui a en grande partie été transmise par son père qui, alors qu'il avait l'âge de son fils, devait souvent composer avec les désagréments d'être un Noir – jusqu'à ce qu'il découvre, dans une bande dessinée, l'histoire de Jackie Robinson. Le père trouve en Robinson, un joueur de baseball noir qui a commencé sa carrière à Montréal, un modèle de persévérance et de courage. Il l'adopte comme modèle à suivre et dès que son fils est en âge de comprendre, il transmet ses valeurs à son fils.

DEVENIR UN EXEMPLE À SON TOUR

C'est comme joueur de troisième but que les Dodgers de Los Angeles recrutent Russell Martin en 2002. Il y passe sa première année dans les mineures avant de devenir receveur l'année suivante. Manifestant des qualités exceptionnelles à ce poste très exigeant physiquement, il gravit donc un à un les échelons dans les différents clubs affiliés aux Dodgers en tant que receveur.

À l'aube de la saison 2006, il reçoit une première invitation pour participer à la période d'entraînement du grand club, mais c'est un autre qui obtient le poste de receveur. Martin rejoint donc le club-école des Dodgers à Las Vegas. Son séjour y sera de courte durée, puisqu'il est rappelé à Los Angeles le 5 mai 2006 : celui qui lui a ravi le poste s'est blessé.

Russell Martin est à peine consacré receveur attitré des Dodgers qu'il inscrit son nom dans les annales du baseball majeur, alors qu'il dirige le lanceur de relève Éric Gagné. En effet, les deux joueurs deviennent ce jour-là le premier tandem de lanceur-receveur canadien-français à évoluer en saison régulière pour une même équipe dans la Ligue majeure de baseball !

Russel Martin passe cinq saisons avec les Dodgers de Los Angeles, où son jeu défensif et sa façon de diriger les lanceurs contribuent à sa renommée. Toutefois, sa moyenne comme frappeur, au départ très bonne, périclite au cours de ses dernières saisons avec l'équipe.

Insatisfait des offres qu'on lui fait lors du renouvellement de son contrat, Martin signe ensuite avec les mythiques Yankees de New York, une équipe avec laquelle il jouera deux saisons. Apprécié par les amateurs de la Grosse Pomme, il se démarque encore une fois par la qualité de son jeu défensif et sa façon de diriger les lanceurs, mais il connaît une saison en dents de scie au bâton lors de sa dernière saison à New York.

Aucune équipe ne lui offrant le contrat à long terme qu'il souhaite, le receveur signe, à la fin de la saison 2012, un contrat de deux ans avec les Pirates de Pittsburgh, même s'ils viennent de connaître deux décennies misérables.

Russell Martin devient un des meneurs de l'équipe avec le voltigeur Andrew McCutchen. Les deux joueurs vedettes contribuent grandement à la remontée au classement spectaculaire que connaissent les Pirates durant les deux années que Martin passe à Pittsburgh. En plus de son jeu défensif toujours aussi impeccable, celui-ci connaît en 2014 l'une de ses meilleures saisons comme frappeur, avec une moyenne cumulative de ,290.

Cet apport au succès inattendu des Pirates place Martin en excellente position pour négocier son prochain contrat. Et c'est avec un Québécois qu'il le signera ! Alex Anthopoulos, originaire de Montréal, est le vice-président sénior aux opérations baseball et directeur général des Blue Jays de Toronto. Il voit en Russell Martin le joueur vedette capable de remplir son stade match après match. Et c'est un Canadien, de surcroît !

Le 18 novembre 2014, Russell Martin signe un contrat de 5 ans avec les Blue Jays, qui lui rapportera à terme 82 millions de dollars. Ce contrat fait de lui l'athlète québécois le mieux payé du sport professionnel à ce moment.

FAITS SAILLANTS

– En juillet 2007, Russell Martin devient le premier receveur canadien à être choisi comme receveur partant pour le match des étoiles.

– Au terme de la même saison, il reçoit le Gant doré et le Bâton d'argent à titre de receveur.

CLAUDE RAYMOND

SPÉCIALISTE DE LA RELÈVE

Claude Raymond naît le 7 mai 1937 à Saint-Jean-sur-Richelieu – croyez-le ou non, c'est presque une bénédiction pour une future étoile du baseball ! Cette municipalité a en effet une véritable vénération pour ce sport, et ce, depuis longtemps.

Saint-Jean accueille dès 1869 le Crescent, premier club de baseball à l'extérieur de Montréal. De plus, lorsqu'est créée la Ligue provinciale en 1898, pour encourager les Canadiens français à jouer au baseball, la ville y adhère immédiatement. Ce n'est toutefois qu'après la Seconde Guerre mondiale que la Ligue connaît son apogée, à la suite de la dissolution de la Ligue majeure du Mexique. Ses joueurs étant bannis des clubs américains, c'est chez nous qu'ils viennent jouer.

Dans ce contexte de grande effervescence, Claude Raymond perd peu à peu son intérêt pour le hockey au profit du baseball. En plus de jouer avec ses amis, il assiste à tous les matchs des Braves comme vendeur de maïs soufflé puis comme mascotte du club et, enfin, à 12 ans, il devient lanceur lors de l'entraînement des frappeurs.

Sa passion ne faiblit pas; Raymond participe à sa première saison d'entraînement avec les Royaux de Drummondville en 1952. Il s'y démarque au point où l'organisation lui propose un contrat. Au moment de la signature, les dirigeants du club constatent cependant que le jeune homme n'a pas les 17 ans qu'il prétend avoir! Claude Raymond n'a alors que 15 ans.

C'est donc chez les juniors que Claude Raymond poursuit sa progression. Des dépisteurs, apprenant qu'un lanceur canadien-français a réalisé deux matchs sans point ni coup sûr, l'approchent. Les négociations qu'il entame avec les Dodgers de Brooklyn avortent, mais le jeune homme signe finalement avec les Braves de Milwaukee.

DES CLUB-ÉCOLES AUX GRANDES LIGUES

Claude Raymond, unilingue francophone, arrive aux États-Unis vers le milieu des années 1950. Si d'autres francophones abdiquent parce qu'ils ont le mal du pays et qu'ils s'intègrent mal à leur nouveau milieu anglophone, la passion de Raymond pour son sport est plus forte que tout.

D'abord envoyé dans les ligues mineures, il devient lanceur de relève, une spécialisation encore rare à l'époque. Il établit un nouveau record à Jacksonville en participant à 54 matchs lors de la saison de 1957. Toutefois, son bras sursollicité l'oblige à prendre un repos forcé. Le craignant trop fragile, le club décide de le soumettre au repêchage. Raymond, impuissant, s'enferme deux heures dans une église pour implorer le ciel.

Son vœu est exaucé: il se retrouve avec l'organisation des White Sox de Chicago. Le voilà dans les Ligues majeures de baseball plus vite qu'il ne l'avait anticipé! Son bonheur est cependant de courte durée. Raymond fait alors partie de l'équipe qui compte les meilleurs lanceurs de l'époque; il est retourné dans les mineures.

Pour la première fois, Claude Raymond est envahi par le doute. Après un hiver de remises en question, il accepte, en 1962, de participer au camp d'entraînement des Braves. C'est une sage décision. Non seulement est-il choisi pour faire partie de l'équipe, mais il conserve une moyenne de 2,72 et est élu recrue de l'année.

L'année suivante, avec les Colt .45s de Houston, Claude Raymond connaît une autre bonne saison. Il garde d'ailleurs d'excellents souvenirs de cette époque, où il a pour voisin le chanteur Kenny Rogers, avec qui il se lie d'amitié.

En 1966, alors qu'il lance toujours pour l'équipe de Houston, Claude Raymond réalise un exploit en conservant jusqu'à la mi-saison la meilleure moyenne de points mérités de la Ligue nationale américaine. Cette performance est l'une des plus grandes gratifications de sa carrière; on l'invite d'ailleurs au match des étoiles. Raymond est le premier joueur de baseball né au Québec qui obtient cet honneur.

JOUER À LA MAISON

L'année 1969 est marquante pour le lanceur. D'abord, il profite de la saison morte pour se marier. Puis, le 16 mai, les Braves d'Atlanta, avec qui il joue désormais, l'envoient au monticule pour affronter une équipe alors en pleine montée: les Expos de Montréal.

Les quelque 20 000 spectateurs qui s'entassent au parc Jarry lui réservent, au moment de son entrée dans le match, une ovation impossible à oublier. Le releveur en sera à la hauteur : il remporte le match contre les favoris en 11e manche. Nouvelle ovation !

Le meilleur est à suivre... Le 19 août, Raymond apprend qu'il fait désormais partie des Expos de Montréal. Il devient ainsi le premier Québécois à porter l'uniforme de l'équipe montréalaise. Claude Raymond rayonne, même s'il quitte l'équipe qui occupe le premier rang de la Ligue pour celle qui se trouve au dernier !

En 1970, Claude Raymond connaît, de son propre aveu, sa saison la plus satisfaisante. On fait peu appel à lui en tout début de saison, mais sa charge de travail augmente à mesure que les autres releveurs échouent. Au mois de juin, il obtient 5 victoires consécutives en retirant 27 des 29 frappeurs qu'il affronte. Son bilan parle de lui-même : il a protégé 23 victoires, en plus d'en gagner 7.

Or, les années se suivent mais ne se ressemblent pas... Au début de la saison 1971, Raymond se blesse à une cheville et perd son titre de releveur numéro un, qui passe entre les mains de Mike Marshall. Autre déception : à la fin de la saison, les Expos ne lui offrent pas de contrat. Même si d'autres équipes l'approchent, aucune ne l'embauche. Le joueur se voit ainsi forcé de prendre sa retraite.

Claude Raymond revêtira une nouvelle fois l'uniforme des Expos le 29 septembre 2004. C'est en effet à lui qu'on confie la responsabilité de saluer les amateurs de baseball francophones du Québec lors du dernier match de l'équipe à Montréal.

LE PATINAGE

JOANNIE ROCHETTE

PATINER POUR LE PLAISIR DE VIVRE

Il existe de nombreuses méthodes et approches pour expliquer la réussite d'un athlète. Dans le cas de Joannie Rochette, le soutien nécessaire à son développement et à son ascension vient d'abord de son entourage.

Même s'il se fait discret, son père, Normand, a un œil admiratif sur l'évolution de sa fille et multiplie les heures supplémentaires afin qu'elle puisse s'entraîner : à l'époque, elle ne rêve pourtant pas encore de devenir l'une des meilleures patineuses artistiques du monde ! Sa mère, Thérèse, chérit sa fille unique et développe avec elle une complicité exceptionnelle. Toujours présente, elle est une source d'encouragement et d'inspiration. Sa communauté, enfin, soutient la famille dès que Joannie Rochette franchit le cap des 11 ans, en l'aidant à payer les déplacements de la jeune patineuse lors de ses premières compétitions à l'extérieur du Québec.

DES JEUX DU QUÉBEC AUX OLYMPIQUES

Si Joannie Rochette pratique le patinage artistique d'abord et avant tout pour son plaisir, son entraîneuse, Manon Perron, décèle vite son potentiel et admire avec quelle rapidité elle apprend des erreurs qu'elle commet. Elle réalise aussi que, afin que sa protégée progresse, il lui faut se mesurer à d'autres patineuses.

Comme beaucoup des grands sportifs québécois qui se démarqueront sur la scène internationale, Joannie Rochette s'initie à la compétition d'envergure en participant aux finales des Jeux du Québec. Dans son cas, il s'agit des Jeux de 1995, qui se déroulent à Granby. Pour la jeune fille, alors âgée de 9 ans, comme pour beaucoup d'autres participants, ce sont là des Jeux olympiques, avec leurs cérémonies d'ouverture et de fermeture, la cohabitation d'athlètes, tous sports confondus et provenant des quatre coins... du Québec. Joannie Rochette monte sur la deuxième marche du podium, réalisant qu'elle peut désormais rêver de devenir une championne mondiale.

La jeune patineuse participe ensuite à ses premières compétitions chez les novices. Elle y ravit en 2000 le titre canadien de la meilleure patineuse. L'année suivante, elle remporte la médaille d'or, cette fois chez les juniors. Elle passe chez les séniors en 2003, terminant troisième dès sa première compétition. Tous ceux qui l'ont vue progresser savent que seul le temps la sépare de l'or dans cette dernière catégorie. Elle y parvient en 2005 et devient ainsi la première patineuse canadienne à gagner les trois titres nationaux en patinage artistique.

Si Rochette bénéficie désormais d'une reconnaissance d'un océan à l'autre, elle se distingue aussi sur la scène internationale, où elle est sacrée championne à quatre reprises sur le circuit du Grand Prix de l'Union internationale de patinage. Elle obtiendra aussi trois médailles lors des Championnats des quatre continents.

Ce sont les mêmes qualités qui lui ont permis de se distinguer au Canada que les juges internationaux remarquent : ses prestations sont empreintes d'une présence et d'un charisme exceptionnels. De plus, elle fait preuve d'une grande puissance lors de l'exécution des figures artistiques, et ses chorégraphies, réalisées sur des choix musicaux originaux, sont innovatrices.

En 2006, Joannie Rochette réalise finalement son rêve ultime depuis qu'elle a participé aux Jeux du Québec : les Jeux olympiques. Elle se rend à Turin, déjà comblée par sa sélection. Son objectif est de se classer parmi les 10 premières, un but qu'elle atteint sans soucis, puisqu'elle obtient la cinquième place. Cette première expérience augure de belles performances pour les Jeux suivants, qui se dérouleront au pays, à Vancouver.

LE BRONZE POUR UN CŒUR EN OR !

Joannie Rochette se présente à Vancouver confiante. Elle sait qu'elle est la favorite et, en conséquence, elle s'est préparée de manière à composer avec cette pression additionnelle. Il y a toutefois une chose qu'elle n'a pas prévue et pour laquelle nul n'est jamais prêt : on lui annonce, deux jours avant sa première prestation, que sa mère, venue la rejoindre à Vancouver, a été victime d'un infarctus. Celle-ci est décédée.

Effondrée, la jeune femme s'isole pour décider de l'attitude à adopter. Elle se convainc très vite que sa mère aurait souhaité qu'elle se présente à la compétition et qu'elle y fasse de son mieux. Alors que tout le monde compatit avec elle et s'attend à ce qu'elle se retire des Jeux, elle annonce qu'au contraire, elle y participera : sa prestation sera une ode à sa mère.

Aidée par une force de concentration peu commune, Joannie Rochette réalise son programme court. Elle est alors troisième. Elle présente ensuite son programme libre, qu'elle termine en larmes, tournée vers le ciel. Son pointage lui permet de conserver sa troisième place, à un demi-point de la médaille d'argent. Aucune médaillée de bronze n'aura autant été célébrée à travers le monde !

Après les Jeux de Vancouver, Joannie Rochette délaisse peu à peu les compétitions pour faire carrière chez les professionnels, au sein de la troupe Stars on Ice.

FAITS SAILLANTS

– Joannie Rochette a été championne canadienne de patinage artistique de 2005 à 2010.

– En 2009, elle remporte la médaille d'argent aux Championnats du monde tenus à Los Angeles.

– En 2010, elle est corécipiendaire du prix Terry-Fox de la Ville de Vancouver, décerné à une personne qui a fait preuve de détermination et d'humilité dans l'adversité. Elle remporte cette même année le prix Bobbie-Rosenfeld, attribué à l'athlète canadienne de l'année.

GAÉTAN BOUCHER

LE CHAMPION EFFACÉ

Réservé et timide, Gaétan Boucher s'est illustré dans un sport méconnu des Québécois... jusqu'à ce qu'il se démarque en devenant l'athlète canadien le plus médaillé des Jeux olympiques à l'époque.

Mis à part quelques mordus de patinage de vitesse longue piste qui ont suivi sa progression, c'est le plus souvent dans l'anonymat, voire la moquerie, que l'athlète s'illustre dès ses premières compétitions – c'est là le lot des précurseurs ! Tout comme Marcel Jobin, champion canadien en marche olympique qu'on surnommait « le fou en pyjama », Boucher en fait sourire plus d'un lorsqu'il revêt son costume qui le moule des pieds à la tête, puis chausse ses étranges patins à longues lames droites.

Jusqu'à l'âge de 11 ans, Gaétan Boucher ignore lui-même tout de ce sport. Il apprend son existence quand, dans sa classe, on distribue un feuillet qui présente le patinage de vitesse et incite les jeunes à s'y adonner. Joueur de hockey, moins par passion que pour être avec ses amis, Boucher répond à l'appel. Le jeune homme, plutôt chétif, espère que ce sport lui permettra d'améliorer son coup de patin, comme le promet le dépliant.

UN PARCOURS IRRÉPROCHABLE

Grâce à l'entêtement qu'il dit avoir hérité de son père, Gaétan Boucher s'adonne avec passion à son nouveau sport, et les efforts sont payants, puisqu'il acquiert un profil plus athlétique. De plus, il se découvre des habiletés physiques exceptionnelles.

Ainsi, de fil en aiguille, il participe au Championnat canadien de 1973, où il se classe premier. Il répète l'exploit l'année suivante avant de devenir, en 1975, le plus jeune membre de l'équipe nationale du Canada, avec laquelle il participe aux Jeux olympiques de 1976 à Innsbruck. Boucher a alors 17 ans.

S'il ne se classe pas parmi les premiers, le jeune patineur comprend qu'il n'est pas très loin d'atteindre le calibre pour rivaliser avec les meilleurs du monde dans les trois principales disciplines : le 500, le 1000 et le 1500 mètres.

Un an plus tard, Gaétan Boucher atteint le premier objectif qu'il s'est fixé à son arrivée sur la scène internationale : il devient champion du monde. Il reconquiert ce titre en 1980 et, la même année, remporte sa première médaille olympique, une médaille d'argent, aux Jeux de Lake Placid.

Travailleur acharné, Gaétan Boucher poursuit sa progression vers les sommets. En 1983, coup du sort, il se brise une cheville un an avant les Jeux de Sarajevo. Pour rien au monde Boucher ne veut rater ce rendez-vous. Sa cheville à peine rétablie, il reprend l'entraînement de façon à être à l'apogée de sa forme au moment des Jeux.

C'est d'ailleurs grâce à ces Jeux que la plupart des Canadiens le découvrent, et ce, avant même le début des compétitions : il a en effet été choisi comme porte-drapeau. Boucher est honoré, même si plusieurs athlètes, superstitieux, redoutent cette nomination, la rumeur voulant que cette distinction soit suivie de contre-performances lors des compétitions.

Boucher fait mentir la superstition : il réalise à Sarajevo ses meilleures performances à vie. Il monte en effet à trois reprises sur le podium, deux fois sur la première marche, et une autre sur la troisième. Sa première médaille d'or, il la dédie à son père, qui l'a encouragé et suivi dès ses premiers tours de piste ; la deuxième, elle est pour sa famille et lui-même.

Désormais vedette consacrée, Gaétan Boucher décide néanmoins de raccrocher ses patins en 1988, après les Jeux de Calgary. Bien que sa performance le classe toujours parmi les cinq meilleurs du monde au 1000 mètres, son rêve de remporter une médaille olympique au Canada lui échappe.

Chose certaine, Gaétan Boucher a permis à son sport de sortir de l'ombre et, surtout, ses performances ont amené d'autres jeunes à vouloir s'y illustrer, comme Kristina Groves ou Clara Hughes.

Cette dernière lui rendra d'ailleurs un bel hommage lorsqu'elle sera intronisée au Panthéon des sports du Québec. Elle souligne que non seulement elle lui doit en grande partie sa carrière de patineuse, pour l'avoir inspirée lors des Jeux de Calgary, mais que, d'une certaine manière, elle lui doit aussi la vie. Hughes révèle avoir connu une enfance difficile, qui l'a menée à consommer alcool et drogues : les exploits de Boucher lui ont non seulement fait connaître le sport, mais ils ont aussi donné un but à sa vie.

FAITS SAILLANTS

Au moment où il prend sa retraite, en 1988, Gaétan Boucher possède un palmarès enviable:

– il gagne le titre de champion du monde en salle en 1977 et en 1980;

– il établit, en 1981, un record du monde au 1000 mètres;

– il remporte 3 médailles aux Jeux de Sarajevo;

– il reçoit le trophée du Mérite sportif québécois en 1977, en 1980, en 1984 ainsi qu'en 1990, année où on lui octroie aussi le titre d'athlète de la décennie au Québec.

MARC GAGNON

MÉTIER : CHAMPION

Lorsqu'il vient au monde le 24 mai 1975 à Chicoutimi, Marc Gagnon semble déjà avoir un destin tracé d'avance. Ses parents enseignent le patinage, et son frère aîné, Sylvain, pratique déjà le patinage de vitesse. Plutôt que de faire garder le jeune Marc lorsqu'ils vont donner leurs cours, ses parents l'emmènent aussi.

Le décor est planté ! Marc Gagnon apprend à patiner dès l'âge de 3 ans et chausse ses premiers patins à longues lames un an plus tard. Très vite, on l'inscrit à des compétitions régionales, où il manifeste un talent certain. L'enfant est doué et il le sait. Il ambitionne très jeune de faire partie de l'équipe nationale canadienne.

Pour y parvenir, le jeune homme met les bouchées doubles lors de ses entraînements et parvient à réaliser son rêve alors qu'il n'a que 15 ans. Celui qui se révélera l'un des patineurs de vitesse courte piste les plus connus et les plus titrés du monde possède déjà toutes les qualités nécessaires pour atteindre les plus hauts sommets. Doté d'une confiance en lui inébranlable, ne ménageant pas les efforts nécessaires pour devenir un grand athlète, le jeune homme possède aussi une personnalité séduisante. Sympathique, il s'exprime aisément, a un bon sens de l'humour et, ce qui ne gâte rien, il est beau bonhomme !

D'ASPIRANT À CHAMPION

Deux ans après avoir été sélectionné pour faire partie de l'équipe nationale, Marc Gagnon remporte son premier Championnat du monde. Au cours de la décennie qui suit, il remporte à quatre reprises le titre de champion de la Coupe du monde, sans compter les succès qu'il connaît, tant en solo qu'en équipe, lors des Jeux olympiques auxquels il participe.

Si sa carrière olympique débute sur une bonne note en 1994, aux Jeux de Lillehammer, où il remporte une médaille de bronze, ses Jeux suivants, à Nagano, où les attentes sont énormes en raison du statut qu'il a acquis lors des compétitions de Coupe du monde, sont à ses yeux un désastre ! Marc Gagnon est disqualifié au 1000 mètres et chute au 500 mètres. Bien qu'il obtienne avec ses coéquipiers une médaille d'or au relais, il est à ce point dépité de sa performance et amer de l'expérience olympique qu'il quitte un moment la scène du patinage de vitesse courte piste, persuadé de ne plus y revenir.

Difficile, cependant, de se désintoxiquer du sport de haut niveau, surtout pour un athlète qui a la compétition dans le sang depuis sa plus tendre enfance ! Après un an d'inactivité sur le circuit des compétitions internationales, Marc Gagnon annonce son retour. Son objectif avoué est de gagner une médaille d'or individuelle aux Jeux de Salt Lake City. Pour atteindre son objectif, il s'assure les services de Sylvie Daigle, elle-même ex-championne en patinage courte piste. Elle devient son entraîneuse et le demeurera jusqu'à la retraite du patineur.

Dès sa première course au 1500 mètres, Gagnon arrache la médaille de bronze. Il est satisfait, cette distance n'étant pas sa spécialité. Il entreprend donc avec confiance sa seconde compétition, le 500 mètres, mais il connaît un mauvais départ, ce qui le handicape, la distance parcourue étant très courte. Or, Gagnon effectue une remontée spectaculaire et... il obtient enfin cette médaille d'or qu'il convoitait tant !

À peine a-t-il eu le temps de reprendre son souffle qu'il participe au relais 5000 mètres... que l'équipe canadienne remporte. L'athlète monte ainsi une seconde fois sur la première marche du podium, visiblement heureux d'être revenu à la compétition plutôt que d'être resté avec le souvenir amer de sa contre-performance à Nagano.

En 2002, Marc Gagnon accroche ses patins une seconde fois, cette fois définitivement – du moins en tant qu'athlète. À l'invitation de Patinage de vitesse Canada et de la Fédération de patinage de vitesse du Québec, il se dédiera toujours à son sport, mais comme entraîneur en chef des jeunes espoirs du pays.

FAITS SAILLANTS

Peu de temps après avoir raccroché ses patins, Marc Gagnon a l'insigne honneur d'être intronisé au Panthéon des sports du Québec en 2005, au temple de la renommée olympique du Canada en 2007 et, enfin, au Panthéon des sports canadiens en 2008.

Il a remporté les Championnats du monde de patinage courte piste en 1993, en 1994, en 1996 et en 1998. Il a aussi été vice-champion du monde en 1995 et en 1997.

Il a remporté 5 médailles olympiques, ce qui, à ce jour, fait de lui l'un des athlètes canadiens les plus médaillés de l'histoire olympique.

CHARLES HAMELIN

UN PATINEUR HEUREUX

Prétendre que c'est l'ennui qui a amené Charles Hamelin à connaître la carrière internationale qu'il a en patinage de vitesse courte piste serait sans doute exagéré. N'empêche, ce n'est pas tout à fait faux non plus...

En réalité, Charles Hamelin s'intéresse au patinage de vitesse parce que son frère cadet, François, s'y adonne déjà. Ce dernier s'ennuyait et a trouvé cette activité en feuilletant l'annuaire des loisirs de la ville !

Après François et Charles, Mathieu, l'aîné de la famille, ainsi que leur père contractent le « virus ». Si Mathieu abandonne rapidement ses patins à longue lame en raison de son gabarit imposant, le père, lui, changera carrément de carrière pour devenir entraîneur, puis directeur du Programme canadien de patinage courte piste !

CHAMPION TOUTES CATÉGORIES

Physiquement mieux adaptés au sport que leur aîné, François et Charles Hamelin grimpent peu à peu les échelons du patinage de vitesse courte piste chez les juniors. Charles s'y impose même – à son grand étonnement – comme l'un des principaux espoirs canadiens. Pour en arriver là, il a dû énormément travailler ; les habiletés dont il fait preuve ne sont en rien le résultat d'un talent inné. Au contraire, il qualifie lui-même ses premiers tours de piste de « poches » !

Cette détermination est payante, puisque Hamelin remporte une première médaille en 2002, au Championnat du monde junior tenu en Corée du Sud. Il monte alors sur la deuxième marche du podium en tant que membre de l'équipe canadienne de relais. Un an plus tard, toujours dans le cadre du Championnat junior, il remporte trois médailles : deux médailles individuelles d'argent et une de bronze, obtenue en équipe.

En 2004, Charles Hamelin compétitionne parmi les séniors et connaît autant de succès en épreuves d'équipe qu'en courses individuelles. À cette époque, il participe à la plupart des compétitions de courte et de longue distance, mais son épreuve de prédilection est le 1000 mètres. C'est d'ailleurs dans cette épreuve qu'il remporte sa première médaille d'or en Coupe du monde.

À compter de ce moment, Hamelin fréquente les podiums avec la régularité d'un métronome, tant en Coupes du monde qu'aux Championnats du monde. Quand on lui demande quelle est la clé de son succès, celui qui est reconnu pour être plutôt calme, presque zen, explique que, depuis ses débuts, il se fixe ponctuellement de petits objectifs : leur atteinte l'entraîne progressivement à en réaliser de grands. Un autre de ses secrets est sans nul doute que le patineur aime profondément le sport qu'il pratique. Hamelin croit en effet que lorsqu'on travaille dans le plaisir, l'effort pèse moins, même lorsque le corps est poussé à ses limites.

GAGNER DANS LE BONHEUR !

À partir de 2006, Charles Hamelin se concentre davantage sur les courtes distances. C'est ainsi que, lors de la saison 2006-2007, il cumule des victoires en Coupe du monde au 500 et au 1000 mètres et gagne le Championnat du monde au 500 mètres. La saison suivante est tout aussi productive : en Coupe du monde, il remporte l'or à deux reprises au 500 mètres et une fois au 1000 mètres. Enfin, il obtient sa troisième victoire consécutive au 500 mètres lors du Championnat du monde tenu à Vienne.

Ses exploits se poursuivent en 2010, le patineur de vitesse terminant premier sur le circuit de la Coupe du monde avant de se présenter aux Jeux olympiques de Vancouver, où il figure comme l'un des favoris. Il y établit en quart de finale un nouveau record olympique au 500 mètres, avant de ravir la médaille d'or pour la même distance.

Cette victoire est d'autant plus mémorable qu'elle se conclut par une chaleureuse étreinte et un baiser de son amoureuse, Marianne St-Gelais, elle-même double médaillée sur courte piste. L'image du couple fait le tour du monde. Pour clore le tout en beauté, Charles Hamelin termine ses Olympiques en remportant une médaille d'or au relais 5000 mètres.

Lorsqu'il se présente aux Jeux de Sotchi en 2014, plusieurs observateurs le considèrent comme un prétendant à l'or pour chacune des catégories dans lesquelles il est inscrit. Ses débuts sont prometteurs, puisque, d'entrée de jeu, il gagne le 1500 mètres. Malheureusement, des chutes au 500 et au 1000 mètres feront en sorte que cette médaille est, à la consternation de tous, la seule que Hamelin rapporte de Russie.

Pour la première fois de sa carrière, Charles Hamelin est ébranlé. Même s'il sait que les chutes sont fréquentes dans son sport, il met un certain temps à admettre qu'il n'y est pour rien, qu'il faut oublier tous les sacrifices qu'il a consentis et recommencer!

D'ailleurs, celui qui a amassé jusqu'ici plus de 135 médailles internationales a renoué avec la victoire dès le Championnat du monde qui a suivi les Jeux.

À suivre...

NATHALIE LAMBERT

PIONNIÈRE EN PATINAGE COURTE PISTE

Même si le patinage courte piste naît au Canada et aux États-Unis en 1905 et que les premières compétitions ont lieu dès 1909, le sport met un certain temps avant de se populariser en Europe, au Japon et en Australie. En fait, même si des compétions informelles sont organisées entre quelques pays dès les années 1960, il faut attendre 1976 pour assister à une première compétition internationale sanctionnée par l'International Skating Union. Le premier Championnat mondial, lui, a lieu en 1981 à Meudon-la-Forêt, en France. C'est aussi dans l'Hexagone que le patinage de vitesse courte piste devient un sport officiel olympique, lors des Jeux d'hiver d'Albertville, en 1992.

Dans ce contexte, on ne s'étonnera guère que Nathalie Lambert, qui voit le jour le 1er décembre 1963 à Montréal, ne rêve pas dès sa prime jeunesse de devenir une championne de patinage courte piste ! Sa rencontre avec ce sport relève même d'un événement fortuit.

Peu sportive, la jeune Lambert fréquente néanmoins le nouvel aréna qui vient d'ouvrir dans son quartier, le Plateau Mont-Royal. Son intérêt ? Regarder les garçons jouer au hockey. Un jour, plutôt que d'assister à un match, comme elle s'y attend, elle découvre un tout nouveau sport, le patinage de vitesse. Curieuse, elle assiste à l'entraînement et est séduite tant par la rapidité des patineurs que par l'aspect tactique déployé pendant les courses.

SAVOIR PERSISTER

Ses premiers contacts avec le patinage de vitesse courte piste auraient pu décourager la jeune femme, qui ne compte pas parmi les meilleures patineuses, loin de là. Toutefois, elle est celle qui manifeste le plus d'entêtement à s'améliorer. Son entraîneur note aussi qu'elle démontre énormément de curiosité pour tout ce qui entoure son sport.

Lambert doit cependant faire preuve de beaucoup de patience et de détermination : entre ses débuts, en 1976, et l'obtention de son premier titre de championne du monde, en 1991, il s'écoule 15 ans, durant lesquels elle trime dur et continue d'espérer.

Avec le recul, la patineuse dit avoir fait la démonstration que des gens ordinaires peuvent réaliser des choses extraordinaires, pour peu qu'ils persévèrent et, surtout, qu'ils gardent une attitude positive. Pour elle, il est essentiel d'apprendre à composer avec l'adversité lorsqu'on poursuit un objectif, dans le sport comme dans la vie.

L'ENNEMI EN SOI

Et lorsque Nathalie Lambert parle d'adversité, elle sait de quoi elle parle ! Après avoir mis des années à s'imposer dans sa discipline, à peine arrivée au sommet, la jeune femme apprend qu'elle souffre d'arthrose à la suite d'un examen médical auquel les athlètes doivent se soumettre régulièrement. Son médecin la prévient que les exigences de son entraînement pourraient aggraver son état ; ce sera le cas au cours des six dernières années de sa carrière.

Comme athlète, Lambert est habituée de repousser les limites de son corps et à vivre avec la douleur, mais elle sous-estime le calvaire qui l'attend. Pendant des années, tout en se maintenant au sommet de son sport, elle doit composer avec des douleurs intenables qui la réveillent la nuit et des raideurs chaque fois qu'elle demeure immobile trop longtemps. Or, ce qui lui fait le plus mal, c'est de peiner à s'agenouiller pour jouer avec ses filles.

Plutôt que de se plaindre et d'abdiquer, Nathalie Lambert choisit de mieux comprendre le fonctionnement de son corps et s'inscrit au baccalauréat en kinésiologie afin de devenir, après sa retraite sportive, une spécialiste de la mise en forme. Dans un monde de plus en plus sédentaire, son objectif est d'amener les gens à bouger davantage, toujours dans le plaisir.

FAITS SAILLANTS

Nathalie Lambert est membre de l'équipe nationale de patinage courte piste de 1982 à 1997.

Au cours de sa carrière, elle sera :

– 3 fois championne mondiale individuelle (1991, 1993, 1994) ;

– 4 fois médaillée olympique ;

– championne, entre 1992 et 1994, des 11 compétitions internationales auxquelles elle participe, établissant des records au 500 mètres, au 1000 mètres, au 1500 mètres et au relais.

Elle a été intronisée au temple de la renommée des sports du Québec et du Canada, qui reconnaît en elle une ambassadrice hors du commun pour son sport ainsi que son implication auprès des athlètes qui suivent ses traces.

LE SKI ET LE BIATHLON

ALEXANDRE BILODEAU

PREMIER DE CLASSE

Frédéric Bilodeau est, sans l'avoir planifié, à l'origine des succès de son frère, Alexandre Bilodeau…

***

Atteint de paralysie cérébrale, Frédéric est, en effet, incapable de patiner, faute de pouvoir convenablement coordonner ses mouvements. Par contre, sur une pente, en descente, il a suffisamment d'équilibre pour maîtriser ses skis. Ses parents incitent donc Alexandre à se mettre au ski lui aussi afin que la famille puisse pratiquer ensemble un même sport.

Au départ peu séduit par l'idée, Alexandre Bilodeau découvre rapidement que ce sport possède un côté acrobatique, spectaculaire, qui lui plaît bien – Jean-Luc Brassard, qu'il a vu à la télé, en a d'ailleurs fait l'éclatante démonstration. Le jeune garçon réalise ses premières figures à l'âge de 7 ans; le ski acrobatique, jugé extrême à l'époque, devient son unique passion.

Bilodeau s'initie aux principales disciplines de ce sport, soit les sauts, les bosses et les bosses en parallèle. Doué, il devient à 14 ans le meilleur junior du Canada. Une partie de son succès s'explique par l'attention méticuleuse qu'il accorde à l'aspect spectaculaire de chacune de ses prestations. Il se distingue, entre autres, par son triple périlleux double vrille, que peu de gens arrivent à réaliser.

En 2004, peu de temps après avoir ravi son premier titre junior, Alexandre Bilodeau décide de se concentrer sur les bosses. Il joint alors le Programme de développement de l'équipe nationale. À 17 ans, il est consacré champion canadien des bosses, en solo et en parallèle.

SUR LA SCÈNE INTERNATIONALE

Avant même qu'Alexandre Bilodeau participe à sa première Coupe du monde, sa réputation l'a précédé. Plusieurs bosseurs actifs sur le circuit mondial ont déjà entendu parler des figures qu'il exécute, dont son fameux saut périlleux avec double vrille. Bilodeau se montre à la hauteur des attentes, remportant une première victoire dès sa troisième participation à une Coupe du monde. Mieux, il termine deuxième au classement général à la fin de la saison, ce qui lui vaut le titre de Recrue de l'année de la saison 2005-2006, une mention décernée par la Fédération internationale de ski.

Le skieur québécois connaît donc un début de carrière aussi spectaculaire que ses prestations. L'objectif, pour un athlète de haut niveau, est de maintenir cette cadence. Or, Bilodeau connaît ensuite une série de contre-performances. Il réalise qu'il a de la difficulté à se concentrer, ce qui lui fait commettre des erreurs à répétition.

Après avoir discuté de son état avec des spécialistes, il adopte une nouvelle approche, la rétroaction biologique, qui favorise une meilleure interaction entre le corps et l'esprit. Les résultats sont concluants et le propulsent à nouveau parmi les meilleurs dès la saison 2008-2009.

Au fond de lui-même, Bilodeau sait que s'il s'en est sorti aussi rapidement, c'est beaucoup grâce à son frère Frédéric. Alors que les performances d'Alexandre chutent et qu'il en veut à la planète entière pour ses revers, Frédéric, à qui on a prédit qu'il ne marcherait plus à l'adolescence, se tient debout et marche toujours à presque 30 ans. Le skieur ne peut être qu'admiratif devant les efforts constants de son grand frère, qui se relève chaque fois qu'il tombe, et qui, malgré tout, ne se plaint jamais.

Une bonne méthode d'entraînement, c'est bien; un exemple de courage quotidien, c'est encore mieux!

MÉDAILLÉ OLYMPIQUE

Lorsque Alexandre Bilodeau se présente aux Jeux olympiques de Vancouver en 2010, il a déjà remporté, pour la seule année 2009, cinq médailles d'or et trois médailles d'argent lors de Coupes du monde. Il détient aussi trois titres décernés par la Fédération internationale de ski (FIS), soit champion du monde en Coupe du monde, champion du monde en ski sur bosses et champion du monde en bosses parallèles.

Pour se détendre avant sa dernière descente, Bilodeau, gonflé à bloc, écoute le dernier spectacle de Louis-José Houde. Le champion québécois rigole seul dans son coin, suscitant la curiosité de ses adversaires. Enfin, on l'appelle.

Encouragé par une foule enthousiaste, il connaît une descente de rêve. Vingt et une secondes de pur bonheur durant lesquelles il fait la démonstration qu'il est bien le meilleur du monde, tant sur le plan technique que sur le plan acrobatique, grâce à deux sauts parfaits.

Sur le bord de la piste, Frédéric Bilodeau est tout aussi heureux que son frère ! Alexandre le rejoint et le prend dans ses bras. Cette médaille d'or, ils la partageront !

FAITS SAILLANTS

Au cours de sa carrière, Alexandre Bilodeau a gagné 19 médailles d'or. Il est monté sur le podium 48 fois lors de Coupes du monde.

Il a été champion du monde aux bosses en parallèle en 2009, en 2011 et en 2013.

Il a aussi remporté la médaille d'or en bosses lors des Jeux olympiques de Sotchi, en 2014.

JEAN-LUC BRASSARD

LE BOSS DES BOSSES

Jean-Luc Brassard passe une enfance sans histoire à Grande-Île, au sud-ouest de Montréal. Le jeune homme débordant d'énergie s'adonne à plusieurs activités physiques, dont la gymnastique et le ski, auquel il s'initie à 7 ans. S'il dévale régulièrement les pentes des stations des Laurentides, il ne trouve pas dans cette activité toute la satisfaction qu'il espère.

Le coup de foudre qu'il attend, il le doit à sa sœur, Anne-Marie. Membre de l'équipe de ski acrobatique, elle l'initie aux différentes disciplines de son sport et devine que son frère a des prédispositions pour les bosses. Elle ne se trompe pas : le jeune Jean-Luc participera à sa première compétition d'envergure à l'âge de 13 ans.

Jean-Luc Brassard impressionne par son talent, mais il sait aussi séduire ! Toujours de bonne humeur, curieux de tout, il s'intéresse aux gens qu'il rencontre, à leur culture ou au génie inventif dont ils sont capables. Ce trait de sa personnalité, il l'attribue à ses parents, qui l'ont initié très jeune à la lecture. *Tintin* le fait rêver de voyages, et les récits historiques qu'il dévore lui ouvrent une fenêtre sur la nature humaine.

DES DESCENTES QUI MÈNENT AU SOMMET !

Après avoir bien assimilé les techniques de la descente de bosses, Jean-Luc Brassard devient membre de l'équipe canadienne à l'âge de 17 ans. Il demeurera, tout au long des 12 années que dure sa carrière, au haut du classement des meilleurs skieurs du monde.

Son palmarès parle de lui-même. Brassard participe à 116 compétitions sur le circuit de la Coupe du monde : il y remporte 20 victoires, en plus de remporter 27 médailles d'argent ou de bronze. En outre, il participe à cinq Championnats du monde, desquels il rapporte deux médailles d'or, l'une obtenue en Norvège, l'autre au Japon, ainsi qu'une médaille d'argent gagnée en France. Enfin, il représente le Canada lors de quatre Jeux olympiques.

Ce que ce palmarès exceptionnel cache, c'est toute la pression qui pèse sur les épaules des athlètes, surtout lors des Jeux olympiques...

Après avoir remporté devant les siens en 1991 la Coupe du monde au mont Gabriel, Jean-Luc Brassard participe l'année suivante à ses premiers Jeux olympiques, à Albertville, en France. L'expérience est nouvelle et enivrante. Trop de distractions lui font perdre sa concentration, ce qui lui vaut une contre-performance. Une leçon que le jeune athlète retiendra lors de sa préparation pour les Jeux suivants, à Lillehammer, en Norvège. Ces Jeux accaparent toute son attention, au point où, très souvent, sa vie personnelle passe au second plan.

Ce déséquilibre n'est pas sans conséquence. Alors qu'il attend son tour à l'aire des départs, Brassard est progressivement envahi d'un stress qui lui fait perdre tous ses moyens. Il a beau visualiser sa descente, la pression le paralyse. Il envisage même de s'inventer une blessure pour éviter la compétition. Seule consolation : lorsqu'il regarde autour de lui, les sourires ont disparu, les visages sont crispés. Certains compétiteurs sont malades.

Faute de pouvoir retrouver sa concentration, Brassard confie ses états d'âme à son entraîneur. Celui-ci, plutôt que d'évoquer les habituelles théories de psychologie sportive, se contente d'un conseil tout simple : « Amuse-toi, Jean-Luc ! »

Le conseil porte ses fruits. Brassard réalise une descente d'anthologie, où tout ce qu'il a assimilé jusque-là se manifeste d'instinct et avec fluidité. Il a la sensation que son parcours se déroule au ralenti, qu'il a le temps d'anticiper les figures à venir...

Au terme de sa descente, il devient le premier Québécois après Gaétan Boucher à remporter une médaille d'or aux Jeux d'hiver.

UNE DESCENTE... EN ENFER !

Lors des Jeux suivants, qui se déroulent au Japon, à Nagano, Jean-Luc Brassard entend bien défendre son titre de champion. Son parcours exemplaire en Coupes et en Championnats du monde en a fait un des athlètes amateurs les plus reconnus du Québec.

Deux jours avant l'ouverture des compétitions, Brassard apprend que le Comité olympique canadien l'a choisi comme porte-drapeau. Honoré, il réalise toutefois que cette faveur pourrait amoindrir ses chances de répéter son exploit de Lillehammer, puisque sa qualification en ski de bosses se déroule le lendemain du défilé des athlètes.

Un autre événement malheureux vient aussi affecter sa préparation mentale. Tout de suite après sa nomination comme porte-drapeau, le skieur est convié, avec tous les autres athlètes canadiens, à une réception tenue en leur honneur. Or, lors de cette rencontre, les intervenants prononcent à peine quelques mots en français, ce qui blesse plusieurs membres de la délégation québécoise, dont Jean-Luc Brassard.

Comme il le craignait dans ses pires cauchemars, il termine la compétition au quatrième rang, juste au pied du podium. Le retour au pays est difficile. Insatisfait de sa performance, Brassard constate que l'opinion qu'il a émise sur l'absence du français à Nagano a divisé le pays – une fois de plus ! L'athlète met un certain temps à retrouver sa sérénité, mais ne garde aucune rancœur. La preuve en est qu'il sera chef de mission adjoint lors des Jeux olympiques de Sotchi et chef de mission pour les Jeux d'été de Rio en 2016.

En 2000, durant les finales de la Coupe du monde, Brassard se blesse grièvement à un genou, ce qui lui fait rater une saison complète. Il se qualifie néanmoins pour faire partie de l'équipe canadienne et participe, en 2002, aux Jeux de Salt Lake City, où il termine 21e. Peu de temps après, lors d'un entraînement en France, il observe un jeune bosseur réaliser pour la première fois un saut extrêmement difficile techniquement. À la fois impressionné et intimidé, Brassard comprend alors que, pour lui, l'heure de la retraite a sonné.

FAITS SAILLANTS

En plus de sa médaille d'or aux Jeux olympiques de Lillehammer, de ses premières places en Coupes du monde et aux Championnats du monde, Jean-Luc Brassard a été classé 7 années consécutives parmi les 3 meilleurs skieurs mondiaux, de 1992 à 1999.

Il fut aussi nommé 6 fois champion canadien.

Par ailleurs, il a reçu à 3 reprises le trophée John-Semmelink, attribué au skieur s'étant distingué par ses exploits sportifs, sa conduite et son habileté.

NICOLAS FONTAINE

SKIEUR ACROBATIQUE

Même s'il a fallu attendre 1988 pour que le Comité international olympique accepte le ski acrobatique comme sport de démonstration, puis comme discipline des Jeux d'hiver, les athlètes québécois et canadiens s'imposaient déjà sur la scène internationale lors des Championnats et des Coupes du monde.

Né à Magog le 5 octobre 1970, Nicolas Fontaine, qui ne s'est pourtant jamais considéré comme un athlète talentueux, s'inscrit dans cette lignée de grands sportifs qui ont contribué au rayonnement du Québec sur la scène mondiale. Fontaine a été l'un des piliers de ce qu'on appelait la « Québec Air Force », dont les membres se distinguaient par l'audace et la créativité de leurs sauts. Durant les 13 ans qu'a duré sa carrière sur la scène internationale, il s'est distingué en remportant 4 fois, de 1997 à 2000, le titre de champion de la Coupe du monde, en plus d'être sacré Champion du monde de saut en 1997.

LE GRAND SAUT

Dès l'école primaire, Nicolas Fontaine développe un goût pour l'athlétisme et, plus spécifiquement, pour le trampoline. Et, en sixième année, son professeur d'activités physiques est Lloyd Langlois, un des premiers Québécois à se distinguer sur la scène internationale en ski acrobatique. Celui-ci remarque le sens inné de Fontaine pour s'orienter dans l'espace lorsqu'il exécute ses figures sur le trampoline ; il l'encourage à se diriger vers le ski acrobatique. Un conseil duquel son jeune élève lui sera toujours redevable.

Fontaine rejoint donc, au milieu des années 1980, l'équipe qui prépare les aspirants champions, en Estrie et dans la région de Québec. S'il démontre de belles aptitudes, gère bien son stress et fait preuve de confiance en lui, le jeune homme admet qu'il mettra beaucoup de temps et d'efforts avant d'atteindre le sommet de son art.

En 1990, il devient membre de l'équipe nationale et, deux ans plus tard, attire une première fois l'attention sur lui en remportant la médaille d'argent aux Jeux olympiques d'Albertville, où le saut acrobatique est toujours en démonstration. Fontaine n'est devancé que par Philippe Laroche, dont il deviendra le dauphin.

C'est au milieu de la vingtaine que Fontaine se hisse finalement aux premiers rangs de sa discipline. En plus d'un entraînement physique de plus en plus pointu sur le plan technique, l'athlète magogois croit que c'est après sa découverte de la sophrologie, une méthode d'autosuggestion axée sur les résultats, que ses performances s'améliorent sensiblement.

Les résultats sont en fait si probants que le skieur connaît une année de rêve en 1997. Durant cette saison, des 13 compétitions auxquelles il participe, il grimpe 6 fois sur le podium, dont 4 fois sur la plus haute marche ! Son meilleur souvenir demeure rattaché à la compétition du 9 février, sur le site d'Iizuna Kogen à Nagano, où il remporte le Championnat du monde.

Lors de cette compétition en sol japonais, Fontaine, au sommet de sa forme, vise un score de 255 points, ce qui lui permettrait d'établir un nouveau record, le précédent étant de 248. Après ses deux sauts, sa marque est de 254,97 points. Difficile de remettre en question sa préparation mentale avec une telle précision de résultats !

Bien que la sophrologie le serve bien et contribue à asseoir sa renommée internationale, Fontaine la délaisse peu à peu. Parvenu au sommet de sa gloire, il est de plus en plus sollicité pour participer à des activités plus lucratives et ludiques que d'écouter des cassettes de motivation. Du même coup, il néglige donc sa préparation psychologique, et ses résultats s'en ressentent. L'athlète réalise alors que si parvenir au sommet est une chose, y demeurer en est une autre...

Fort de cette leçon, Nicolas Fontaine modifie son approche. Plutôt que de se concentrer uniquement sur les résultats, il accorde plus d'importance à la qualité de sa performance. Pour lui, c'est une question de motivation. Quand on se donne pour objectif d'être le premier et qu'on le devient, il faut ensuite chercher ailleurs les raisons qui justifient les efforts quotidiens nécessaires pour continuer à l'être et ressentir autant de plaisir lors de chaque compétition.

Cette nouvelle approche lui permettra de remonter régulièrement sur la première marche du podium lors de Coupes du monde, et ce, jusqu'à ce qu'il prenne sa retraite, à la fin de la saison 2002.

PERPÉTUER LA TRADITION

Si plusieurs athlètes de haut niveau s'imposent une coupure nette avec leur discipline lorsqu'ils prennent leur retraite, Nicolas Fontaine choisit plutôt de continuer de s'y impliquer à 100 %. Il devient d'abord entraîneur, avant d'être nommé responsable du recrutement par l'Association canadienne de ski acrobatique et d'occuper le poste de directeur général du Centre national d'entraînement Yves-Laroche, à Lac-Beauport.

FAITS SAILLANTS

Pendant sa carrière, Nicolas Fontaine a participé à 4 olympiades, à 7 Championnats du monde et à 107 Coupes du monde. Il a gagné 36 médailles en Coupes du monde, notamment 13 médailles d'or et le Globe de cristal, décerné au meilleur spécialiste du super-G, 4 années consécutives.

En 2000, Fontaine devient le premier skieur acrobatique à réaliser 2 quadruples sauts, lors d'une épreuve tenue dans le cadre des Championnats canadiens, au mont Gabriel.

En 2012, il reçoit la Médaille du jubilé de diamant de la reine Élisabeth II, qui souligne les réalisations et contributions majeures de Canadiens à leur pays.

FAMILLE LAROCHE

FOUS DE SKI !

Il est peu fréquent que tous les enfants d'une famille s'illustrent dans un même sport, même s'ils se spécialisent dans des disciplines différentes. C'est pourtant le cas des LaRoche. Nés entre 1958 et 1968, ils ont pour prénoms Yves, Dominique, Simon, Bernard, Alain, Philippe et Lucie. Leurs parents, sportifs, leur ont de toute évidence transmis une fougue particulière ainsi qu'une source inépuisable d'énergie. Leur mère s'adonne à la natation, alors que leur père, architecte de profession, pratique aussi le saut de barils. Son record est de 13 !

Les enfants LaRoche grandissent dans une maison imaginée par le père, construite de telle manière qu'elle peut être agrandie à mesure que la famille s'élargit. Comme elle est située sur les flancs des pistes de ski à Lac-Beauport, ils ont un accès direct à celles-ci et en profitent allègrement dès leur jeune âge. Ils s'y amusent sans grande supervision, se risquant, l'hiver, à exécuter les figures de ski acrobatiques qu'ils ont mises au point l'été, grâce à une rampe aménagée sur les bords du lac.

Se motivant les uns les autres, ils s'intéressent à toutes les disciplines du ski, à commencer par le ski alpin, mais aussi les bosses, le ballet et les sauts. Tous audacieux et créatifs, ils contribuent chacun à sa façon à repousser les limites de ces disciplines qui les feront connaître sur les scènes nationale et internationale. C'est notamment grâce à leurs efforts et à ceux de quelques autres Québécois que le ski acrobatique deviendra une discipline olympique.

TOUS POUR UN

Dominique, Bernard et Simon LaRoche s'illustrent surtout sur le circuit canadien. Au Québec, ils sont reconnus comme des précurseurs du ski acrobatique, participant à son développement avec les innovations qu'ils y apportent. Sympathiques et bons communicateurs, les frères LaRoche apparaissent souvent dans les médias et contribuent ainsi à faire connaître leurs disciplines au grand public et à y intéresser d'autres jeunes. Dominique LaRoche, champion canadien, a aussi gagné quelques médailles sur le circuit de la Coupe du monde.

Lucie LaRoche, la plus jeune de la fratrie, est la seule fille de la famille et la seule à avoir choisi le ski alpin comme discipline. Même si elle participe volontiers aux équipées de ses frères, c'est pour être plus souvent avec ses amies skieuses qu'elle opte finalement pour la descente et le super-géant. Membre de l'équipe nationale, elle brille suffisamment pour participer aux Jeux olympiques de Calgary en 1988, ainsi qu'à ceux d'Albertville en 1992.

Yves LaRoche, l'aîné, décide après avoir complété son secondaire de se consacrer à plein temps au saut acrobatique. Il met 10 ans de travail et d'entraînement intensif avant d'être sacré, en 1986, champion du monde en ski acrobatique. Il est alors le seul à réaliser un triple saut arrière avec triple vrille. Pour lui, la recette du succès est simple : afin de se classer premier, il ne faut pas chercher à imiter les autres, mais plutôt à s'en démarquer.

En 1989, alors qu'il vient de remporter cinq premières places et cinq deuxièmes places en 10 compétitions de la Coupe du monde, Yves LaRoche est victime d'un accident de parapente qui le laisse 61 jours dans le coma. C'est avec la même détermination que celle qui l'a mené au sommet qu'il réapprendra à parler et à marcher.

Alain LaRoche, quant à lui, s'illustre sur la scène internationale en saut, en ballet et en bosses ! Il est sans doute l'athlète le plus complet de la famille. Membre du célèbre « Québec Air Force » dont les membres – Lloyd Langlois, Jean-Marc Rozon, Nicolas Fontaine, entre autres – remportent compétition sur compétition à l'international, Alain participe au cours de sa carrière à 199 compétitions. Il se classe parmi les 10 premiers à 96 occasions, et il monte sur l'une des trois marches du podium à 15 reprises.

Sur la scène nationale, Alain LaRoche a été champion canadien deux fois en bosses et au combiné, et a remporté le même titre à une occasion en ballet. Il a aussi été deux fois vice-champion au saut et au combiné. On l'intronise au temple de la renommée du ski canadien en 1999.

Enfin, le plus jeune garçon des LaRoche, Philippe, a aussi fait sa marque sur les circuits de ski acrobatique. Il est sans doute le plus téméraire, le plus innovateur et le plus spectaculaire membre de la famille ! Il remporte deux Championnats du monde, en 1991 et en 1993. De plus, en 1992, alors que son sport est en démonstration, il remporte une médaille d'or aux Jeux olympiques d'Albertville. À Lillehammer, deux ans plus tard, le skieur joue de prudence, ce qui ne correspond guère à sa personnalité, et il doit se contenter de la médaille d'argent.

Philippe LaRoche complète sa carrière en cumulant 18 victoires en saut en Coupes du monde, et il remporte 3 fois le titre de champion au classement général de la Coupe du monde dans la même discipline.

ERIK GUAY

UN CHAMPION PRÉDESTINÉ

Difficile d'échapper à un sport lorsque toute sa famille y est impliquée corps et âme ! C'est le cas d'Erik Guay : sa mère, Ellen Mathiesen-Guay, est monitrice à la station du mont Tremblant, et son père, Conrad Guay, directeur de l'école de ski, entraîneur et directeur du club de compétition du même mont. Ceux-ci transmettent tout naturellement leur bagage génétique et leur passion à leurs enfants. Erik et ses deux frères, Kristian et Stefan, non seulement chaussent des skis dès la petite enfance, mais feront tous partie de l'équipe du Québec, puis de l'équipe nationale canadienne.

Selon leur mère, peu de gens auraient parié sur le jeune Erik si on leur avait demandé lequel de ses trois fils se démarquerait le plus sur les circuits alpins. Elle se rappelle de lui comme du plus prudent, du plus réfléchi. Aux dires de son père, c'est justement ce caractère tranquille qui permet à Erik Guay de demeurer détendu, une caractéristique essentielle en descente – l'une des deux disciplines où le skieur excelle, avec le super-G.

Si personne ne l'a vue venir, la percée de Guay sur la scène mondiale sera d'autant plus saluée que le ski canadien masculin traverse, à la fin des années 1990, une période difficile.

RESTER SUR SES SKIS !

Lake Placid, 29 novembre 2003. Erik Guay en est à son vingtième départ en Coupe du monde. Il a 22 ans, et il est au sommet de sa forme. Lors des descentes d'entraînement, il a bien analysé la piste, ce qui lui permet d'anticiper chacune des sections les plus difficiles.

En franchissant la ligne d'arrivée, le skieur sait qu'il vient de connaître une de ses meilleures performances à vie. De fait, il est deuxième ! Le lendemain, il prend le sixième rang en super-G.

Au Québec, le monde du ski est en liesse. La disette semble terminée !

L'euphorie est cependant de courte durée. Quelques semaines plus tard, lors d'une séance d'entraînement à Val Gardena, Guay chute et se déchire les ligaments du genou. Ce revirement de situation sera caractéristique de sa carrière, marquée de moments de liesse suivis de périodes plus sombres, le plus souvent en raison de blessures.

Erik Guay met trois ans avant de remonter sur un podium de la Coupe du monde, soit en 2006, au Colorado. La piste de Beaver Creek est alors balayée par une tempête de neige, et plusieurs concurrents souhaitent intérieurement que la descente soit annulée. Ce n'est pas le cas de Guay, qui espère, au contraire, en profiter pour faire la démonstration de son sang-froid.

La descente a finalement lieu, et le skieur termine deuxième, pour une seconde fois. Il est néanmoins satisfait. Sa blessure l'a rendu plus craintif, mais, désormais, il se sait à nouveau capable d'attaquer les parcours avec agressivité. Comme la différence entre les meilleurs se traduit en centièmes de seconde, il faut être de ceux qui prennent des risques pour emprunter le meilleur tracé.

LA CONSÉCRATION PERSONNELLE

En 2007, Erik Guay connaît l'une de ses meilleures saisons en Coupe du monde. Il monte à trois reprises sur le podium en descente, et une autre fois en super-G, et surtout, il remporte sa première victoire à vie à Garmisch-Partenkirchen le 24 février.

C'est au même endroit qu'en 2011, il remporte le Championnat du monde, s'inscrivant pour de bon sur la liste des meilleurs descendeurs du monde.

S'il arrive que des skieurs se présentent à une compétition avec le sentiment qu'ils vont connaître une grande journée, ce n'est pas du tout le cas de Guay lors de ce Championnat du monde. Ce n'est qu'une fois dans la tente de départ qu'il remarque qu'il est plus calme que d'habitude. Aussitôt qu'il s'élance, il a l'agréable sensation que toute sa course se déroule au ralenti, qu'il a encore plus de temps pour prévoir les difficultés et s'y préparer.

La victoire acquise, Guay sait qu'il vient de franchir une nouvelle étape personnelle, qu'il a gravi un nouvel échelon. À force de dépassement, il a réalisé ce que, jusque-là, il avait dû se contenter d'imaginer !

L'athlète connaît une autre satisfaction en 2013, à Bormio, en Italie, où il monte sur la troisième marche du podium. Un énième podium parmi plusieurs ? Non, celui-ci revêt une importance particulière :

Guay vient d'établir un nouveau record canadien, celui du plus grand nombre de podiums en carrière, record précédemment détenu par le skieur alpin Steve Podborski, membre des légendaires Crazy Canucks, ces jeunes descendeurs canadiens qui ont fait, à compter des années 1970, la pluie et le beau temps en Coupe du monde et qui se démarquaient par leur style téméraire.

Malheureusement, en 2014, Guay se blesse à nouveau au genou, ce qui le force à renoncer à la compétition durant toute la saison 2014-2015.

Le reste de son histoire, il faudra la suivre...

En une décennie, Erik Guay s'est bâti un palmarès digne des meilleurs skieurs européens (n'oublions pas qu'en Europe, le ski alpin est une discipline reine !). Il a en effet cumulé :

– 21 podiums en Coupes du monde, dont 4 victoires ;

– 1 Globe de cristal, remis au meilleur spécialiste du super-G ;

– 1 médaille d'or en descente à Garmisch-Partenkirchen.

MÉLANIE TURGEON

CHAMPIONNE TOUTES CATÉGORIES

Peu de temps après sa naissance à Alma en 1976, la famille de Mélanie Turgeon déménage à proximité des pistes de ski du lac Beauport. La jeune Mélanie ne tarde d'ailleurs pas à les fréquenter, puisqu'elle chausse ses premiers skis à 3 ans et que, un an plus tard, même si elle n'a pas atteint l'âge requis, elle participe à ses premières compétitions dans la catégorie des 5-6 ans.

À compter de ce moment, et jusqu'à l'âge de 11 ans, Turgeon remporte toutes les compétitions auxquelles elle participe – sauf une. Pourtant, elle doit souvent affronter des skieuses plus âgées qu'elle. Sa renommée atteint déjà un tel niveau que l'émission *Les Héros du samedi* de Radio-Canada dresse un portrait flatteur de cette athlète de 8 ans à qui on prédit un bel avenir.

Le bon augure s'avère exact, puisqu'elle remporte en 1994 le titre de championne junior du monde, après avoir récolté six médailles, dont cinq lors du seul mois de mars ! Ce mois-là, la skieuse gagne deux médailles d'or – une en slalom géant et l'autre en combiné –, une médaille d'argent en super-G et deux médailles de bronze, en descente et en slalom. Elle est la seule skieuse canadienne à avoir accompli un tel exploit et, à 17 ans, elle démontre de manière éclatante qu'elle peut être compétitive dans toutes les disciplines de son sport.

Continuant sur sa lancée, elle passe du côté des séniors et, même si elle doit composer avec des maux de dos chroniques qui l'éloignent à quelques reprises des grandes compétitions, Turgeon se construit une renommée enviable sur la scène internationale. Elle remporte notamment la descente de la coupe d'Europe à Tignes, puis le slalom à Saint-Sébastien, en Autriche. Lors de la saison 1999-2000, elle se classe à neuf reprises parmi les 10 meilleures skieuses du monde.

Son talent s'affirme encore davantage lors de la saison suivante. Mélanie Turgeon prend la première place en super-G à Innsbruck et, à la fin de la saison, elle termine deuxième de la discipline au classement général. Elle remporte également le Championnat canadien de descente. Enfin, elle monte à quatre reprises sur le podium lors de différentes épreuves de la Coupe du monde.

Après avoir connu une saison plus difficile en 2001-2002, Mélanie Turgeon obtient enfin, en 2003, la consécration qu'elle espérait : elle est sacrée Championne du monde de la descente à Saint-Moritz, en Suisse. Avant de prendre son départ, elle demande à un juge qui, selon lui, remportera le titre. Chauvin, il lui prédit que ce sera une Suissesse. « Ne pariez pas trop là-dessus », lui glisse-t-elle juste avant de s'élancer...

La skieuse est d'autant plus fière de sa victoire qu'elle sait au plus profond d'elle-même que celle-ci n'est pas le fruit du hasard : elle est le résultat d'années d'entraînement et d'efforts, souvent consentis au mépris de son corps meurtri.

LES RISQUES DU MÉTIER

Quelques mois après son exploit, Mélanie Turgeon chute et se blesse gravement au dos. Une double hernie discale la force à mettre fin à sa saison. Après de longs mois de réhabilitation, la combattante qu'elle a toujours été tente un retour à la compétition en 2004, mais des douleurs insoutenables l'obligent, à regret, à prendre sa retraite en octobre 2005. Difficile d'admettre qu'on ne pourra plus jamais retrouver le niveau d'excellence qu'on vient pourtant juste d'atteindre...

La jeune femme réalise rapidement qu'elle n'est pas du tout préparée à cette retraite prématurée. Son moral est affecté, et elle broie du noir plus souvent qu'elle le souhaiterait au cours des mois qui suivent. Elle s'en sort toutefois bien, en appliquant une technique de coaching de vie, la programmation neurolinguistique, dont elle se servira ensuite pour aider d'autres athlètes qui passent par les mêmes émotions négatives.

FAITS SAILLANTS

— Mélanie Turgeon connaît une carrière fulgurante dès son arrivée, à 16 ans, sur le circuit international.

— Durant sa carrière, elle prend part à 121 compétitions en Coupes du monde et participe à 3 Jeux olympiques. Elle se classe à 41 reprises parmi les 10 meilleures skieuses du monde.

— Le 13 janvier 2001, à Haus im Ennstal, en Autriche, elle devient la seule Canadienne à remporter 2 médailles la même journée en Coupe du monde: elle gagne le bronze en descente et l'argent en super-G.

— En 2003, à Saint-Moritz, elle remporte le Championnat du monde en descente.

PIERRE HARVEY

L'ATHLÈTE VENU DE NULLE PART !

Au Québec, où nous portons une vénération quasi religieuse aux joueurs de hockey même ordinaires, plusieurs de nos athlètes amateurs jouissent d'une renommée internationale, alors qu'ils passent complètement sous le radar chez nous, du moins jusqu'à ce qu'ils remportent un Championnat du monde ou une médaille aux Jeux olympiques. Et encore !

C'est le cas du Rimouskois Pierre Harvey, que plusieurs spécialistes du conditionnement physique et journalistes sportifs considèrent comme l'un des plus grands sportifs québécois. Il s'agit en effet d'un athlète complet sur le plan physique et qui a toujours pratiqué son sport d'abord et avant tout par plaisir et par goût du dépassement, plutôt que d'être motivé par la gloire et la richesse.

S'ARRACHER À L'INERTIE

Rien, dans l'enfance de Pierre Harvey, ne le prédestine à devenir un grand sportif. Au contraire, il fuit volontiers l'effort et prend progressivement du poids, affalé devant le téléviseur familial. Quand on le remarque à ses cours d'éducation physique, c'est pour son manque d'entrain !

Arrivé à l'âge où l'appartenance à un groupe d'amis devient importante, Pierre Harvey se résout à faire de la natation, puisque ses amis pratiquent ce sport. Partant de loin, il met un certain temps à bien nager, mais cette remise en forme progressive lui permet de réaliser qu'il possède un potentiel physique insoupçonné. Ses amis n'en reviennent pas ! En 1971, Harvey gagne même une médaille de bronze dans sa discipline aux Jeux du Québec de Rivière-du-Loup.

À la consternation de tous, Harvey abandonnera la natation. Cette discipline l'ennuie, en raison de son aspect répétitif et confiné. Suivant d'autres amis, il se met au vélo. Cette fois, croit-il, il a trouvé sa voie.

ÇA ROULE !

Pierre Harvey a 16 ans lorsqu'il donne ses premiers coups de pédale sur le circuit cycliste québécois. Deux ans plus tard, en 1975, il remporte le tour de l'Abitibi, puis il s'attaque, l'année suivante, au Championnat canadien – qu'il remporte. Toujours en 1976, il participe aux Jeux olympiques de Montréal, où il se classe 24e au 180 kilomètres : un miracle, si l'on considère les conditions dans lesquelles s'entraînent alors nos athlètes et la qualité de l'équipement dont ils disposent par rapport aux Européens.

Son acharnement et son goût du dépassement l'amènent aux Jeux du Commonwealth de 1978, où il décroche une médaille d'argent. Puis, sélectionné par l'équipe nationale canadienne en vue des Jeux olympiques de Moscou, Harvey fait du surplace, victime du boycottage des Jeux par le Canada.

Cet imprévu entraîne une nouvelle réflexion chez Pierre Harvey qui le mène à s'adonner à un nouveau sport. Il deviendra fondeur ! Mais le passage du vélo au ski ne va pas de soi. D'abord, sa nouvelle discipline exige des entraînements de trois heures par jour, et l'athlète se rend vite compte qu'il devra se mesurer, encore une fois, à des adversaires provenant de pays où le ski de fond est vénéré : ceux-ci disposent d'un soutien technique et financier qu'il ne peut espérer recevoir...

Ça tombe bien, Pierre Harvey aime bien les défis !

ÇA GLISSE !

Comme lors de son époque « vélo », c'est d'abord au pays que Pierre Harvey se distingue dans sa nouvelle discipline. Son exploit le plus spectaculaire demeure sans aucun doute la marque qu'il établit dès son arrivée en ski de fond lors des Jeux du Canada de 1979, qui se tiennent au Manitoba. Harvey y remporte quatre médailles d'or, trois individuelles et une au relais. Les autres fondeurs comprennent que Pierre Harvey n'est pas là pour faire du ski de randonnée ! Le fondeur québécois gagnera le titre de champion canadien à sept reprises, en plus de remporter 35 médailles, dont 22 d'or.

Si Pierre Harvey se consacre désormais en priorité au ski de fond, il n'a pas pour autant oublié sa passion pour le vélo. En 1984, il accomplit un autre exploit hors du commun : il devient le premier Canadien à participer, la même année, aux Jeux olympiques d'hiver (Sarajevo) en ski de fond et d'été (Los Angeles) en vélo.

Parallèlement, Harvey tente sa chance sur les circuits internationaux, où il devient le premier Canadien à remporter des points lors d'une Coupe du monde. Il attire l'attention des champions européens, peu habitués à voir leur suprématie remise en question. Harvey leur démontre rapidement qu'il est fait de la même étoffe qu'eux. En 1987, il remporte le 30 kilomètres style libre à Falun, en Suède. Il récidive l'année suivante, cette fois au 30 kilomètres classique, avant de terminer premier au 50 kilomètres classique à Holmenkollen, en Norvège.

C'est aussi en 1987 et en Norvège que Pierre Harvey réalise une course d'anthologie lors de la Birkebeinerrennet, un marathon de 55 kilomètres : il y termine premier, 27 secondes devant Oddvar Brå, le favori local. Harvey devient aussitôt une légende en Europe du Nord et est même invité à la table du roi de Norvège, qui tient à souligner sa victoire, ne pouvant être, selon lui, que celle d'un athlète d'exception, tant sur le plan physique que mental.

Harvey participera au cours de sa carrière de fondeur à une cinquantaine de compétitions internationales, qui lui permettront de devenir le deuxième athlète non européen, après l'Américain Bill Koch, à se hisser si haut dans la hiérarchie du ski de fond.

CHAMPION DE PÈRE EN FILS

Alex Harvey a connu une enfance nettement plus active que celle de son père Pierre. Il chaussait ses premiers skis de fond dès l'âge de 3 ans, et a remporté sa première médaille d'or en Coupe du monde à 20 ans, un exploit que son père n'a réussi qu'à 30 ans. Celui-ci croit d'ailleurs que son fils ne tardera pas à le surpasser.

En plus de se distinguer régulièrement à titre individuel, Alex Harvey a remporté en 2011, avec son coéquipier Devon Kershaw, la médaille d'or en sprint par équipe. Ses futurs succès restent à écrire !

MYRIAM BÉDARD

UNE ATHLÈTE DANS L'ÂME

Lorsqu'en 1991, une athlète de L'Ancienne-Lorette, Myriam Bédard, remporte la Coupe du monde de biathlon, les Québécois manifestent spontanément de la fierté, même si peu d'entre eux savent qui elle est et quelle est cette discipline. Il faut dire, à leur défense, que le biathlon est un sport hybride bien étrange. D'inspiration militaire, il marie l'endurance physique et l'effet cardiovasculaire du ski de fond à la précision du tir à la carabine.

Par la même occasion, ils découvrent en cette athlète rayonnante au sourire irrésistible une fonceuse admirable, parvenue à devenir championne canadienne à peine deux ans après s'être initiée à ce sport, en 1984! Invitée à la dernière minute à participer à une compétition locale, la jeune femme avait même dû emprunter des skis et des bottes trop grandes pour elle! Elle comprend toutefois, lors de cette première incursion en biathlon, qu'elle vient de trouver chaussure à son pied.

DE SPORTIVE À CHAMPIONNE

Dès l'enfance, Myriam Bédard manifeste une véritable passion pour le sport et l'activité physique. C'est d'ailleurs l'une des raisons qui la motivent à joindre les cadets de l'armée, où elle se fait remarquer non seulement à l'entraînement, mais aussi lors des différentes compétitions, où elle cumule les honneurs.

En peu de temps, Bédard remporte le titre de meilleure cadette et se voit attribuer le Prix du centenaire de la Ligue des cadets de l'Armée du Canada. En 1986, elle s'inscrit au Programme du prix du duc d'Édimbourg, qui s'adresse aux jeunes de 14 à 25 ans dans 108 pays. Après avoir franchi toutes les étapes, elle obtient la récompense ultime, l'épinglette d'or.

Dotée d'une grande détermination et animée par un esprit de compétition qui l'amène chaque fois à se surpasser, Myriam Bédard gravit rapidement les échelons une fois qu'elle se met au biathlon. Elle remporte d'abord le titre de championne canadienne avant de participer, en 1990, à sa première épreuve de la Coupe du monde. À la surprise de tous, elle termine deuxième. Elle fait encore mieux l'année suivante en gagnant deux médailles d'or, deux d'argent et une de bronze, ce qui lui permet de terminer deuxième à la Coupe du monde. Un exploit qu'elle répète en 1993.

SES OLYMPIQUES

En 1992, l'athlète peut enfin réaliser un de ses rêves les plus chers: participer aux Jeux olympiques. En effet, pour la première fois, des épreuves de biathlon féminin sont inscrites au programme des Jeux d'hiver d'Albertville. Bédard, radieuse, obtient une médaille de bronze au 15 kilomètres.

Deux ans plus tard, au sommet de sa forme, la biathlonienne prend le chemin de Lillehammer afin de participer à ses deuxièmes Jeux. Avec sa détermination habituelle, elle remporte une première médaille d'or au 15 kilomètres. À peine 5 jours plus tard, elle récidive et obtient l'or à l'épreuve du 7,5 kilomètres. Elle devient ainsi la première Canadienne à gagner deux médailles d'or olympiques.

Pour expliquer ses succès, l'athlète évoque son excellente préparation physique, mais aussi psychologique. Après sa participation à ses premiers Jeux olympiques, elle a constaté qu'elle ne se trouvait pas parmi les favorites puisque sa technique de ski était déficiente par rapport à celle de ses principales adversaires. Par contre, elle a du même coup réalisé qu'elle réagissait nettement mieux au stress que plusieurs d'entre elles.

En analysant le comportement de ses adversaires sous pression, Bédard comprend qu'il existe une grande différence entre les épreuves de Coupe du monde et les Jeux olympiques. En Coupe du monde, on court surtout pour soi, alors qu'aux Jeux, on représente d'abord et avant tout son pays. La pression qu'exercent certains pays sur leurs représentants est si forte que de nombreux compétiteurs n'arrivent pas à la canaliser : ils craquent. Ce n'est pas son cas.

De retour de Lillehammer avec ses deux médailles d'or, la jeune femme, habituée à un certain anonymat, est submergée par une marée d'affection. Elle est sollicitée de partout, reçoit des centaines de lettres tous les jours, on s'attroupe autour d'elle dans les lieux publics… L'athlète quasi anonyme doit maintenant apprendre à vivre avec sa notoriété.

RÉORIENTATION

Myriam Bédard est parvenue à faire connaître et à imposer son sport au Québec ; en plus, elle bénéficie désormais d'une renommée internationale.

Or, elle doit maintenant apprendre à composer avec un autre changement dans sa vie : en décembre 1994, elle met au monde sa fille Maude. Ses priorités se transforment, d'autant plus qu'elle apprend, à la suite d'un examen médical, qu'elle souffre d'hyperthyroïdie.

Même si elle consacre moins de temps à ses entraînements, Bédard décide néanmoins de participer à quelques compétitions en vue des Olympiques de Nagano, qui auront lieu en 1998. Elle y connaîtra une performance très en deçà de ses exigences, et décidera de prendre sa retraite.

Toujours très appréciée des Québécois, l'ex-athlète entame une nouvelle vie publique, d'abord comme animatrice de la populaire émission télévisuelle *Parents d'aujourd'hui*, puis comme porte-parole d'organisations ou d'entreprises, dont VIA Rail.

En 2006, l'ex-athlète a des démêlés avec la justice : on l'accuse d'avoir enlevé sa fille. En 2013, elle sera finalement condamnée à réaliser 45 jours de travaux communautaires.

FAITS SAILLANTS

En plus de ses titres de championne obtenus en Coupes du monde et de ses médailles olympiques, Myriam Bédard reçoit en 1994 le trophée Lou-Marsh, couronnant l'athlète canadien par excellence de l'année.

Elle est intronisée au temple de la renommée des sports du Canada en 1998 et se classera, un an plus tard, comme la 4e meilleure athlète féminine du siècle au Canada.

En juin 2001, elle reçoit l'Ordre olympique, un honneur accordé à ceux qui ont fait preuve de qualités remarquables dans le monde du sport ou qui ont rendu des services exceptionnels à la cause olympique, soit par leur accomplissement personnel, soit par le développement de leur sport.

LE PLONGEON ET LA NAGE SYNCHRONISÉE

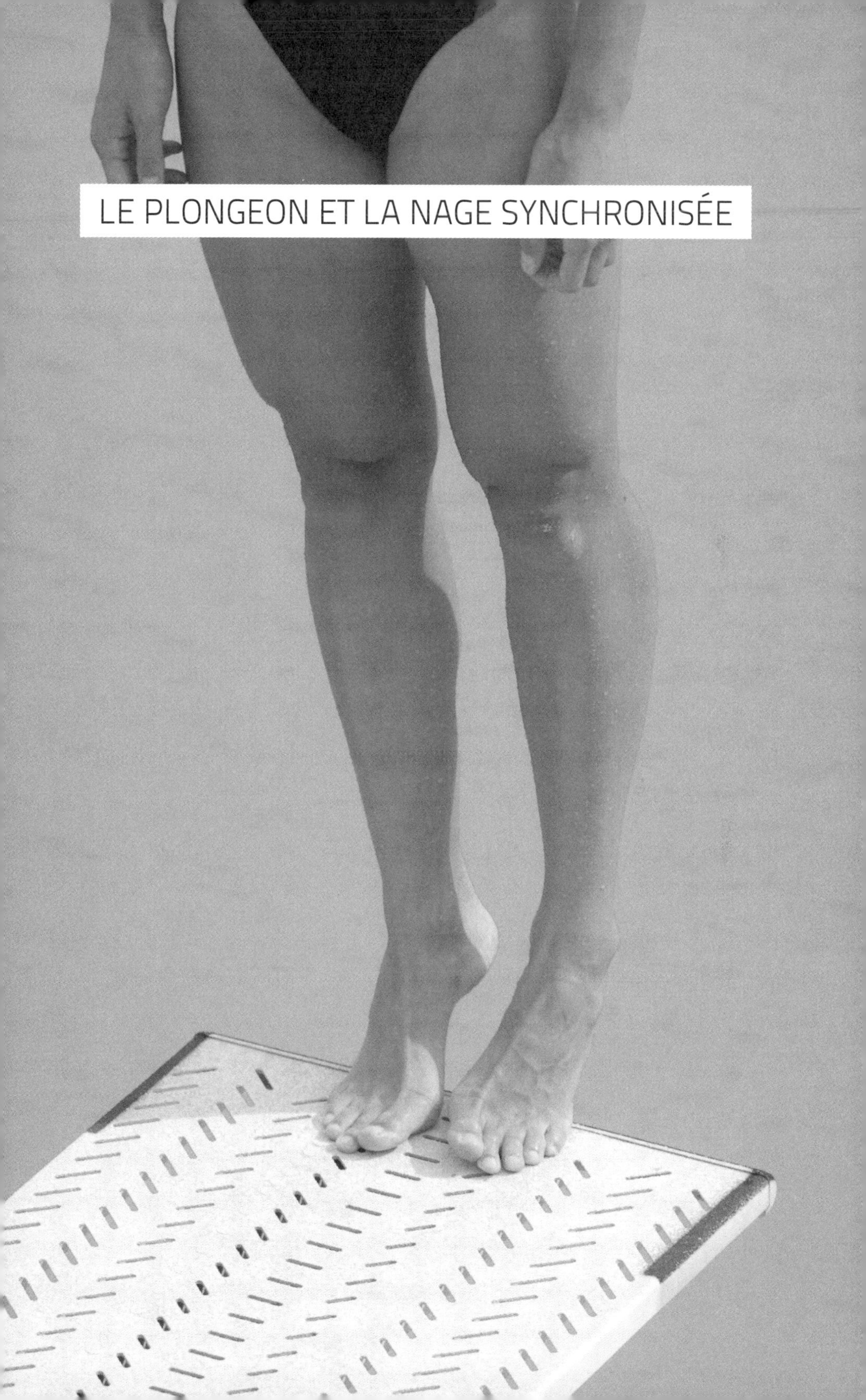

SYLVIE BERNIER

LA FORCE DU MENTAL
PLONGER POUR MIEUX VIVRE

Pendant des années, un rituel immuable s'est déroulé chaque printemps lors de l'inauguration de la piscine familiale chez Sylvie Bernier: aucune de ses filles ni son conjoint n'auraient osé sauter à l'eau avant qu'elle n'ait réalisé d'abord un des plongeons qui lui a permis de devenir championne olympique à Los Angeles en 1984.

Difficile d'imaginer que ce titre, qui couronne sa carrière de plongeuse, résulte d'une situation malheureuse, d'un problème récurrent de santé ! Ses parents ont en effet appris avec consternation que leur fille Sylvie était asthmatique. Son médecin de famille leur a conseillé, pour réduire la fréquence de ses crises, de lui faire pratiquer une activité physique.

CE SERA LE PLONGEON !

Sous l'aile des Compagnons de Cartier de Québec, ce qui n'était qu'une prescription médicale devient vite une passion. C'est ainsi que Sylvie Bernier remporte sa première médaille d'or en 1972, lors des Jeux du Québec tenus à Chicoutimi. Encouragée par ces premiers résultats tout comme par les effets bénéfiques du plongeon sur sa santé, elle décide alors d'investir encore plus d'énergie dans la discipline.

Cette décision sera doublée d'une enchère supérieure en 1976: en assistant aux compétitions de plongeon des Jeux olympiques de Montréal, la jeune athlète, qui n'a alors que 12 ans, décide qu'elle sera un jour de ces compétitions. Pour y parvenir, elle poursuit intensément son perfectionnement, d'abord dans la région de Québec puis, en 1982, elle joint le Club aquatique Montréal Olympique, dont l'entraîneur est Donald Dion.

Après s'être assuré de son sérieux et de sa volonté, Dion accepte de travailler avec elle et, puisqu'il ne reste que deux ans avant les Jeux de Los Angeles, il la soumet à un entraînement physique et mental rigoureux. La tâche n'est pas toujours facile, mais Bernier et Dion développent l'un pour l'autre un respect mutuel. L'entraîneur deviendra même le parrain d'une des filles de la plongeuse, des années plus tard.

ELLE S'Y VOIT !

Durant son apprentissage intensif, Sylvie Bernier utilise une technique encore peu usitée au Québec, l'imagerie mentale: chaque figure du plongeon à réaliser est décomposée dans les moindres détails techniques et emmagasinée dans son esprit. Avant de s'exécuter, elle visualise mentalement son plongeon, puis s'élance. Cette approche permet par ailleurs à l'athlète de se couper du reste du monde et de demeurer concentrée.

Et il lui en faudra, de la concentration, parce qu'un incident survient lors de son entraînement sur le tremplin. Sylvie Bernier se fêle des côtes à moins d'un mois du début des Jeux. Forcée de réduire le rythme, elle consacre beaucoup de temps à mémoriser chacun de ses plongeons et s'imagine sur la première marche du podium. Elle parle peu de sa technique autour d'elle ; lorsqu'elle le fait, on la regarde comme une extra-terrestre !

Lorsqu'elle se présente aux Jeux de Los Angeles, Bernier est nerveuse mais confiante. Ses qualifications se déroulent plutôt bien. Elle occupe le troisième rang, et le pointage la séparant de ses concurrentes est serré.

Le 6 août, jour de la finale, Bernier s'enferme à double tour dans sa bulle et exécute un à un ses plongeons, sans se soucier des notes qui lui sont accordées ni du tableau de classement. Lorsqu'elle s'avance pour son dernier plongeon, elle ignore même si elle est dans la course pour une médaille ! Détendue, elle exécute une double vrille et demie avant carpée. Sous l'eau, elle se sent magnifiquement bien. Elle sait qu'elle vient de réussir un plongeon difficile sans commettre d'erreur majeure. En refaisant surface, elle comprend, à la clameur de la foule, qu'elle est en bonne position. C'est une concurrente, Chris Suffert, qui lui annonce qu'elle montera sur la première marche du podium, comme elle l'avait visualisé.

La bulle éclate ! Le stress, la tension, la fatigue accumulés se relâchent, au point où elle croit s'évanouir alors qu'elle se présente à la salle de presse, où on l'accueille comme une héroïne.

Non seulement Bernier accède-t-elle au titre de championne olympique, mais elle permet au Canada de gagner sa toute première médaille d'or en plongeon aux Jeux olympiques d'été. Sylvie Bernier est aussi la première Québécoise à gagner une médaille d'or aux Olympiques.

Au faîte de la gloire, la plongeuse annonce pourtant, peu après ces Jeux olympiques, qu'elle prend sa retraite : elle a atteint l'objectif ultime qu'elle s'était fixé. Elle en a désormais d'autres en tête, comme fonder une famille et terminer ses études.

C'est là un souhait légitime, surtout si l'on constate tous les exploits qu'elle a cumulés de 1978 à 1983 ! En effet, la plongeuse a participé à 31 compétitions internationales et est montée sur le podium 21 fois, dont 10 fois sur la première marche.

SAVOIR SE RETIRER

Comme chaque fois qu'elle se fixe un objectif, Sylvie Bernier réussit très bien son retrait des compétitions, ce qui n'est pas le cas de tous les athlètes. Pierre Foglia, chroniqueur à *La Presse*, lui suggère même d'enseigner la retraite aux athlètes, souvent malheureux après leur carrière sportive !

En plus de faire des études en marketing, en administration et en diététique, Sylvie Bernier entreprend une carrière médiatique qui lui permettra de rester présente dans l'esprit des gens. Chroniqueuse à la télévision pour l'émission *Salut, Bonjour !* aux côtés de Guy Mongrain, l'ex-athlète sera également commentatrice et analyste lors des cinq Olympiques qui suivent son triomphe. Le Comité olympique canadien fera appel à ses services en la nommant d'abord chef de mission adjointe à Turin, en 2006, puis chef de mission lors des Jeux de Pékin, en 2008.

ALEXANDRE DESPATIE

LE SURDOUÉ

Enfant, Alexandre Despatie fait preuve d'une énergie débordante. On le diagnostiquerait probablement hyperactif aujourd'hui. Or, ce n'est pas un médicament qui transformera sa vie, mais un simple souper... Parmi les invités des Despatie, un ami de la famille est accompagné de sa femme, Sylvie Bernier.

Pendant le repas, les parents du jeune Despatie demandent à l'athlète olympique quelles activités physiques pourraient permettre à leur garçon de dépenser son surplus d'énergie tout en l'aidant à mieux se concentrer. L'ayant observé depuis son arrivée, la championne olympique leur conseille le plongeon. Comme Alexandre s'ébroue déjà dans la piscine sous les yeux attentionnés de sa grand-mère – elle s'amuse même à noter chacun de ses plongeons! –, les parents n'éprouvent aucune difficulté à le convaincre d'essayer cette discipline!

C'est ainsi qu'Alexandre Despatie se retrouve, à 5 ans, membre du Club aquatique CAMO où les instructeurs remarquent qu'il est non seulement doué physiquement, mais qu'il apprend avec une rapidité stupéfiante. Le garçon emmagasine les conseils qu'on lui donne et, quelques plongeons plus tard, son corps a parfaitement intégré les indications qu'on lui a fournies.

Grâce à son talent inné, Despatie participe à 13 ans aux Jeux du Commonwealth de 1998 où, au grand étonnement de tous, il termine premier au tremplin de 10 mètres. Il devient ainsi le plus jeune médaillé de l'histoire de ces Jeux.

DE CHAMPION EN HERBE À VEDETTE CONSACRÉE !

C'est à l'occasion des Jeux du Commonwealth que le compétiteur se révèle en Alexandre Despatie. Si, jusque-là, il pratique le plongeon surtout pour le plaisir, à compter de ce moment, il se fixe des objectifs, dont celui de participer un jour aux Jeux olympiques.

Son ascension se poursuit de façon spectaculaire. En 1999, aux Championnats du monde juniors à Pardubice, en République tchèque, Despatie termine 1er aux tremplins de 1 et de 3 mètres, mais 6e à celui de 10 mètres. Qu'à cela ne tienne, en 2002, aux mêmes Championnats, tenus cette fois à Aix-la-Chapelle, en Allemagne, il se classe premier aux trois épreuves.

D'ailleurs, Despatie établira sa suprématie à presque chacune de ses participations aux Championnats du monde, cumulant les médailles d'or, d'argent et de bronze. Ses succès sont tels que ses admirateurs, de plus en plus nombreux, manifestent parfois leur mécontentement lorsqu'il connaît une rare contre-performance. Certains fouillent même dans sa vie personnelle des justifications à ses moins bonnes prestations !

LE CHERCHEUR D'OR

L'aventure olympique de Despatie débute à Sydney, lors des Jeux de 2000. Il a alors 15 ans et termine 4e au tremplin de 10 mètres. Quand on lui demande, après sa performance, s'il est déçu d'avoir raté de si peu le podium, le plongeur sourit, encore sur un nuage. Il est simplement heureux d'avoir pu rivaliser avec ses héros, dont Dimitri Saoutine, qui ne le devance que de quelques points.

Aux Jeux suivants, en 2004, à Athènes, Despatie remporte sa première médaille olympique, une médaille d'argent. Il compte désormais sur les Jeux de Beijing de 2008 pour mettre la main sur la médaille d'or dont il rêve. Malheureusement, il se blessera à un pied peu avant la compétition. S'entraînant malgré la blessure, l'athlète arrive à Pékin affligé d'un mal de dos qui lui rend difficile le simple fait de marcher. Sylvie Bernier, qui est alors chef de mission de l'équipe canadienne, note cependant qu'une fois qu'il est sur le tremplin, rien ne transparaît de son état physique. Despatie termine de nouveau deuxième, entre deux plongeurs chinois.

Alors que tous soulignent sa force de caractère et son courage, Alexandre Despatie, lui, est déçu ! L'or olympique lui a échappé, encore une fois.

En 2012, le mauvais sort semble s'acharner : lors de sa préparation en Espagne, le plongeur se blesse à la tête six semaines seulement avant les Jeux olympiques de Londres. Sachant que ce sont ses derniers, Despatie redouble d'ardeur à l'entraînement. Malheureusement, celui qui a récolté tous les honneurs en Coupe du monde, aux Championnats du monde, aux Jeux du Commonwealth ainsi qu'aux Jeux panaméricains se classe 11e au tremplin de 3 mètres, après un dernier plongeon complètement raté.

Comprenant que les efforts qu'il a fait subir à son corps l'ont fatigué prématurément et qu'il ne peut plus compétitionner à la hauteur de ses exigences, celui qui est devenu le plus grand plongeur canadien de tous les temps réalise que la retraite s'impose.

FAITS SAILLANTS

En plus de ses nombreuses médailles, Alexandre Despatie est devenu en 2005 le premier plongeur de l'histoire à avoir remporté les titres junior et sénior de champion du monde aux 3 tremplins (1, 3 et 10 mètres).

En 2010, aux Jeux du Commonwealth, tenus à New Delhi, il a aussi remporté une médaille d'or en plongeon synchronisé au tremplin de 3 mètres, avec son coéquipier Reuben Ross.

ANNIE PELLETIER

LA VIE, UN SPORT MOUVEMENTÉ !

Contrairement à la majorité des jeunes filles de son âge, Annie Pelletier ne rêvait pas de devenir une princesse. À 5 ans déjà, son idée est faite : elle deviendrait gymnaste, comme son idole, Nadia Comaneci !

***

Comme Annie insiste beaucoup auprès de ses parents, ceux-ci l'inscrivent dans un club d'athlétisme où la jeune fille, rayonnante, pose les bases de son rêve. Malheureusement, le conte de fées anticipé tourne au cauchemar. La gymnaste en herbe, mal conseillée, se blesse régulièrement, au point où ses parents, inquiets, consultent un spécialiste. Celui-ci est formel : si leur fille poursuit sur cette lancée, elle risque d'hypothéquer sérieusement son développement physique.

Lorsque ses parents se résignent à lui annoncer le verdict du spécialiste, Annie Pelletier le reçoit comme une condamnation à mort. Ils viennent, de détruire sa vie, rien de moins !

Comme c'est souvent le cas avec les enfants, le drame est éphémère. Si Pelletier consent à transformer son rêve, son objectif demeure néanmoins le même : gagner une médaille olympique. Puisque ça ne peut être en gymnastique, ce sera en plongeon. Un sport qui correspond bien à sa nature solitaire.

LA ROUTE SINUEUSE VERS LE SUCCÈS

Annie Pelletier se met ainsi au plongeon. Son entraîneur est le vétéran Donald Dion. Le duo s'entend bien : Dion est exigeant, mais la plongeuse sent que tous deux visent le même but. Or, une déception l'attend. Dion quitte le domaine, et Pelletier se retrouve avec un nouvel entraîneur, Michel Larouche. Elle passera les six années suivantes avec lui.

Pelletier ne partage pas autant d'affinités avec Larouche qu'avec son premier entraîneur, et ce, même si Michel Larouche lui permet de gagner une médaille de bronze aux Championnats du monde aquatique et deux médailles d'or aux Jeux du Commonwealth. La jeune femme souhaite ouvertement retravailler avec son premier entraîneur, qu'elle consulte à l'occasion.

Dion cède ; il accepte de la préparer en vue des Jeux olympiques d'Atlanta. Mais les retrouvailles sont plus difficiles que Pelletier l'avait anticipé. L'entraîneur modifie ses plongeons et l'oblige à faire davantage de musculation. Désorientée, elle connaît quelques contre-performances. Or, elle finit par admettre que, bien que le chemin soit plus ardu que prévu, ces efforts sont nécessaires si elle veut atteindre son objectif. Petit à petit, elle retrouve le plaisir des entraînements et le bonheur de plonger.

C'est donc une athlète bien dans sa peau et préparée qui se présente aux Jeux olympiques d'Atlanta en 1996. Elle est tellement concentrée qu'elle a à peine conscience de l'attentat qui y est perpétré. C'est, curieusement, un événement plus banal qui la déconcentre : une fête qui a lieu au village olympique l'empêche de dormir la veille des compétitions.

Annie Pelletier commence donc sa compétition après trois maigres heures de sommeil. Les résultats aux plongeons préliminaires sont décevants, pour ne pas dire catastrophiques. Elle est 17e. Cependant, lors des demi-finales, ses plongeons et ses notes s'améliorent au point de la faire grimper au 12e rang, ce qui lui permet de participer à la finale.

Annie Pelletier s'y surpasse. Elle réalise quatre excellents plongeons sur cinq, ce qui lui permet de monter sur la troisième marche du podium, une médaille de bronze au cou.

UN RETOUR QUI DONNE LE VERTIGE

À peine remise de ses émotions, Pelletier est entraînée dans une spirale médiatique et cumule les entrevues. Viennent ensuite les offres de collaborations, tantôt comme chroniqueuse, tantôt comme animatrice. C'est ainsi qu'elle prend la barre de l'émission *La vie est un sport dangereux* à TVA.

Dès lors, tout le monde est préoccupé à son sujet, on s'inquiète même de ce qu'elle met dans son panier d'épicerie. Ces attentions et le prestige n'ont pas que de bons côtés ! On la voit partout, on lui manifeste beaucoup d'amour, mais on se moque aussi de son inexpérience et de la déficience de sa culture générale. Elle admet volontiers ses carences ; le temps qu'elle a consacré à son sport ne lui a guère laissé le loisir de s'informer sur la marche du monde.

Blessée par l'image peu reluisante que certains projettent d'elle, Annie Pelletier s'éloigne des projecteurs, acquiert une formation en communication, et décide de s'impliquer davantage dans le milieu qu'elle connaît le mieux, celui du sport et des athlètes.

La Société Radio-Canada, réalisant tous les efforts qu'elle consacre à l'amélioration de ses aptitudes de communication, fait appel à ses services pour commenter les compétitions de plongeon. Par ailleurs, Pelletier, qui a étudié en ergothérapie en vue de travailler avec les enfants trisomiques, s'implique aussi dans les Olympiques spéciaux, qui regroupent des enfants vivant avec une déficience intellectuelle.

FAITS SAILLANTS

Si la médaille olympique de bronze qu'elle a remportée aux Jeux olympiques d'Atlanta représente le haut fait de sa carrière, Annie Pelletier a aussi gagné de nombreux titres aux tremplins de 1 et de 3 mètres. Ainsi, en 1993, elle se classe 2e aux Jeux universitaires mondiaux, avant de gagner 2 médailles d'or aux Jeux du Commonwealth en 1994. L'année suivante, elle domine les Jeux panaméricains au tremplin de 3 mètres.

SYLVIE FRÉCHETTE

LA RÉSILIENTE

Il y a huit ans maintenant que Sylvie Fréchette vit à Las Vegas. Ce n'est pas le strass du « Strip » qui l'y a attirée, mais bien sa collaboration à la création du spectacle *O*, pour le Cirque du Soleil.

D'ailleurs, elle s'échappe aussi souvent qu'elle le peut de la ville du jeu pour faire de longues randonnées dans l'aire de conservation naturelle Red Rock. Dans ce milieu dénudé, d'une grande beauté naturelle, elle trouve la sérénité nécessaire pour réfléchir à son avenir ou pour revenir sur l'aventure que fut sa vie.

EAU CLAIRE, EAU TROUBLE !

Comment ne pas se rappeler les émotions partagées qui ont marqué sa tendre enfance ? Née en 1967 à Montréal, Sylvie Fréchette est très tôt confrontée à un premier choc de taille. Son père meurt des suites d'un accident de la route alors qu'elle n'a que 3 ans. Son jeune frère et elle sont donc élevés par une mère seule, qui s'assure néanmoins que ses enfants ne manquent de rien, et surtout pas d'amour.

Difficile, aussi, d'oublier qu'au moment où elle atteint l'âge de raison, elle reçoit une révélation qui changera sa vie: la jeune fille découvre, éblouie, Esther Williams. Séduite par les ballets aquatiques que l'ancienne championne de natation réalise avec grâce au cinéma, Sylvie Fréchette a désormais un rêve: faire une Esther Williams d'elle-même! Elle suit donc ses premiers cours de natation à la piscine de Rosemont, puis s'inscrit au Club Synchro de Montréal. Elle y fait la connaissance d'une personne qui sera déterminante dans son parcours: son entraîneuse, Julie Sauvé.

Cette dernière n'hésite pas à la prendre sous son aile, d'autant plus que Sylvie Fréchette éprouve déjà une véritable passion pour la nage synchronisée. Même si elle n'a que 11 ans, elle s'astreint volontiers à des entraînements de plusieurs heures par semaine, après ses heures de classe. Sauvé décèle en elle la prochaine Carolyn Waldo, qui est alors la meilleure athlète canadienne en nage synchronisée.

Les efforts et les sacrifices de Fréchette valent la peine: elle devient à 13 ans la championne dans sa catégorie. Deux ans plus tard, elle sera sélectionnée pour faire partie de l'équipe nationale canadienne.

Un parcours idyllique? Sylvie Fréchette apprend à ses dépens que sa célébrité naissante et les attentes qu'elle suscite ont un prix. Avec amertume, elle garde en mémoire un événement survenu en 1989. Alors qu'elle vient d'être sacrée championne nationale, elle se présente au Championnat du monde, où elle termine deuxième. Un quotidien montréalais titre: «Décevante médaille d'argent pour Sylvie Fréchette». Ce verdict sans appel la blesse profondément. Elle est pourtant considérée comme la deuxième meilleure nageuse du monde ! Devant cette incompréhension, l'athlète se remet en question et abandonne même son sport.

1992, UNE ANNÉE DE MISÈRES

Son absence de la compétition sera de courte durée. Sylvie Fréchette y revient, animée par l'idée de ne plus jamais se démonter à cause de l'incompréhension des autres. En 1991, elle s'attaque d'abord au Championnat du monde en solo, qu'elle remporte.

Après quelques jours de célébration, elle se remet avec acharnement à l'entraînement, en vue des Jeux olympiques de 1992, qui auront lieu à Barcelone. Elle doit toutefois interrompre ses activités pour assister aux funérailles de son grand-père, qu'elle affectionne particulièrement.

À quelques jours de l'ouverture des Jeux, nouveau coup dur : on lui annonce que son fiancé vient de se suicider. Meurtrie jusque dans l'âme, Fréchette décide néanmoins de participer aux compétitions, un geste qui force l'admiration de tous.

Or, le sort semble vouloir s'acharner sur elle. Dès sa première prestation, la nageuse se retrouve au centre d'une controverse : au moment de donner son pointage, la juge brésilienne commet un impair en appuyant sur une mauvaise touche. Au lieu de lui donner, comme elle le souhaite, un 9,7, la note qui apparaît à l'écran indique 8,7. Même si elle en avise les autres juges, on refuse de réviser le pointage.

Cette bourde fait en sorte que, plutôt que d'être première, Sylvie Fréchette se retrouve en seconde place au classement. Plusieurs auraient baissé les bras devant tant d'adversité, mais Fréchette se présente le lendemain à la piscine, décidée à mettre ses tripes, sa peine, sa colère, mais aussi toute la passion qui l'habite dans sa performance.

Sa prestation est saluée par une longue ovation de la foule, mais elle ne suffit pas à la hisser sur la première marche du podium. Sylvie remporte une médaille d'argent ; cette fois, c'est elle qui est insatisfaite du résultat ! Sa seule consolation, ce sont les nombreux témoignages de sympathie qui lui parviennent des quatre coins du monde.

Il faudra 16 mois et de multiples pressions pour qu'enfin, l'injustice soit reconnue et corrigée. Lors d'une cérémonie tenue au Forum de Montréal, Sylvie Fréchette reçoit en décembre 1993 la médaille d'or qu'elle méritait.

RETOUR AUX SOURCES

Après un temps de réflexion à parcourir le désert du Nevada, Sylvie Fréchette décide de revenir au Québec en janvier 2006. Un retour à la maison, certes, mais aussi à sa passion, le sport et les athlètes ; elle a notamment été nommée chef de mission adjointe de l'équipe olympique canadienne pour les Jeux olympiques de Londres, en 2012.

FAITS SAILLANTS

Malgré un parcours semé d'embûches, Sylvie Fréchette a connu une carrière exceptionnelle.

– Elle a remporté 65 médailles, dont 25 d'or.

– De 1988 à 1992, elle se classe première dans toutes les compétitions internationales en solo auxquelles elle participe.

– Elle a remporté le Championnat canadien à 10 reprises.

– Elle devient en 1991 la première nageuse à obtenir un score parfait pour une prestation.

Nommée aux Panthéons du sport canadien et québécois, Sylvie Fréchette a aussi reçu de multiples honneurs, dont l'Ordre olympique du Canada, la Croix du service méritoire et le Prix dignité de l'Association canadienne pour l'avancement des femmes, du sport et de l'activité physique.

LE FOOTBALL

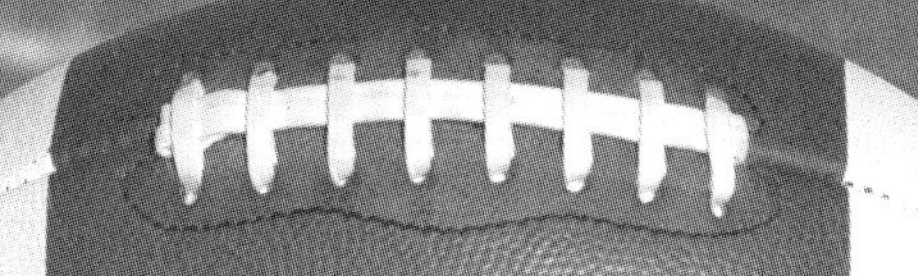

ANTHONY CALVILLO

À FORCE DE CONSTANCE

Avant de devenir le meilleur passeur de la Ligue canadienne de football avec les Alouettes, celui que Montréal a adopté et qui a adopté le Québec parcourt une longue route...

Plutôt discret, Antony Calvillo mettra longtemps avant de révéler des pans de son enfance difficile, passée à La Puente, une petite municipalité à proximité de Los Angeles. À la maison, il doit composer avec un père alcoolique qui se montre souvent violent ; son frère aîné est, quant à lui, emprisonné après avoir sévi dans un gang de rue.

Pour échapper à cet univers plutôt sordide, Calvillo consacre tous ses temps libres à la pratique de sports, dont le football, dès l'âge de 5 ans. Il y trouvera une forme de rédemption.

DE LA CÔTE OUEST À MONTRÉAL

Calvillo profite grandement du fait qu'aux États-Unis, il peut perfectionner ses compétences en football dès l'école secondaire. C'est d'ailleurs à cette époque qu'il adopte le numéro 13 – il le portera toute sa carrière. Ce choix ne relève toutefois pas d'un goût personnel... Dernier à être choisi dans l'équipe, il est aussi le dernier à choisir son numéro et... il n'en reste qu'un, le 13 !

Recruté par Jim Zorn, un ancien entraîneur de la Ligue nationale de football qui devine en lui un des meilleurs jeunes quarts-arrière qu'il ait vu évoluer, Calvillo poursuit son parcours en football universitaire au sein des Aggies d'Utah State, qu'il mène à la conquête du Vegas Bowl. Or, malgré ses performances remarquables, il n'est repêché par aucun club professionnel américain.

Profondément amoureux de son sport et décidé à jouer, Anthony Calvillo se tourne alors vers la Ligue canadienne de football. Il évolue d'abord avec les Tiger-Cats d'Hamilton : trois saisons durant lesquelles il connaît un succès mitigé. Puis, en 1998, il joint les Alouettes de Montréal à titre de quart-arrière substitut de Tracy Ham. Ce dernier réalise que le joueur pressenti pour lui succéder possède un talent brut exceptionnel ; il n'hésite donc pas une seconde à conseiller Calvillo de manière à ce que celui-ci saisisse mieux les subtilités du football canadien.

De son côté, Calvillo utilise tous les moyens à sa disposition pour ne pas décevoir les espoirs qu'on a mis en lui. Il s'impose d'abord un programme de conditionnement physique, un aspect de sa préparation qu'il a souvent négligé par le passé, et il s'évertue à affiner ses qualités de quart-arrière. Intelligent, il apprend à mieux lire les défensives adverses et, conséquemment, à ajuster les attaques au besoin. Surtout, il entreprend chacune des parties qu'il dispute avec le même enthousiasme, naturel : celui de se retrouver sur le terrain avec ses coéquipiers.

Ceux-ci remarquent d'ailleurs l'évolution de leur nouveau quart-arrière et se réjouissent de le voir gagner en confiance. Outre ses qualités de footballeur, Calvillo est un chic type qui, sans être démonstratif, s'intéresse à ses coéquipiers ainsi qu'à tous les membres de l'organisation de l'équipe, jusqu'au plus humble des employés. Il aime visiblement Montréal et y établit d'ailleurs sa demeure.

DU FOOTBALL INSPIRÉ

Sous la gouverne de Calvillo, les Alouettes connaissent 16 saisons présentant nettement plus de hauts que de bas. À son arrivée à Montréal, le footballeur s'était donné comme objectif d'être constant dans ses prestations. Il y parvient rapidement et se fixe comme nouveau but de remporter un premier championnat, ce qu'il réussit aussi. Il ne lui reste plus qu'à se maintenir à ce niveau et à remporter la coupe Grey.

C'est sans doute sur ce dernier aspect que Calvillo sera le plus critiqué, tant par les partisans que par les journalistes sportifs : même si, avec lui, les Alouettes participent huit fois à la grande finale de la coupe Grey, le club échoue à de nombreuses reprises à la remporter. Ils en gagneront finalement trois, dont deux lors des dernières saisons de Calvillo avec l'équipe.

Quoiqu'il ne s'en soit jamais servi comme d'une excuse, le quart-arrière vedette des Alouettes a dû composer au fil des ans avec des drames personnels. Sa femme, atteinte d'un cancer, doit lutter pour sa survie, puis lui-même, lors de la saison 2010-2011, subit l'ablation de sa glande thyroïde, où l'on a identifié une possible masse cancéreuse.

En août 2013, Anthony Calvillo est victime d'une commotion cérébrale sévère. Refusant d'hypothéquer son avenir, il décide de mettre fin à sa carrière. Peu de temps après, les Alouettes annoncent qu'ils retirent son chandail, le numéro 13. Seulement neuf autres joueurs ont eu cet honneur dans toute l'histoire du club.

FAITS SAILLANTS

Durant ses 20 ans de carrière dans la LCF, Anthony Calvillo a réécrit presque au complet le livre des records, dont celui du passeur le plus prolifique, avec 79 816 verges. Il est aussi celui qui a complété le plus de passes (5892) et le plus de passes de touché (455).

Calvillo a été élu à 3 reprises joueur par excellence de la LCF. Il est considéré par plusieurs analystes sportifs comme le meilleur quart-arrière de tous les temps de la Ligue.

SAM ETCHEVERRY

LE BRAS DES ALOUETTES DE MONTRÉAL

Sam Etcheverry, ça vous rappelle quelque chose? Au début des années 1950, ce quart-arrière des Alouettes de Montréal était presque aussi populaire au Québec que le lutteur Yvon Robert ou que Maurice Richard!

Né d'un père français et d'une mère basque ayant immigré au Nouveau-Mexique, Etcheverry est footballeur universitaire à Denver. En 1952, les Alouettes de Montréal, qui viennent de connaître une année désastreuse, embauchent un nouvel entraîneur, Doug Walker. Son principal mandat est de dénicher un quart-arrière pour l'équipe.

Autre époque, autre technique de recrutement! Walker trouve son candidat en feuilletant l'annuaire de l'université qu'il a lui-même fréquentée. En voyant la photo d'Etcheverry, il apprécie la manière dont le joueur tient le ballon. Ce dernier, qui a gagné le Championnat du Mexique avec son équipe collégiale, sait effectivement manier un ballon de football. C'est d'ailleurs ainsi qu'il a obtenu une bourse de l'Université de Denver. Toutefois, au terme de son séjour universitaire, aucune équipe de la Ligue nationale de football ne le repêche, le trouvant trop frêle.

Etcheverry profite donc de l'instinct de Walker et se présente à la période d'entraînement des Alouettes, à la veille de la saison 1952. Il y montre suffisamment d'aptitudes pour signer un contrat. Ce contrat le désigne comme quart-arrière suppléant, secondeur de ligne et botteur de dégagement.

Cependant, la saison est à peine entamée que Frank Nagle, le quart-arrière partant, se blesse. Appelé à le remplacer, Etcheverry devient le quart-arrière numéro un des Alouettes. Il le demeurera lors des neuf saisons suivantes.

À L'ATTAQUE !

Très vite, Etcheverry est considéré par les amateurs de football comme étant le joueur le plus excitant de la Ligue canadienne. Au sein des Alouettes, il met en place un style unique, basé sur l'attaque aérienne, beaucoup plus excitante que les traditionnelles courses au sol qui prédominent jusqu'alors. Ses passes rapides et précises lui valent d'ailleurs le surnom de « The Rifle ». En plus, l'homme possède un autre avantage indéniable : il est doté d'un charisme fou.

Si les Alouettes ne gagnent pas tous leurs matchs, l'équipe est excitante à regarder jouer, et les gradins sont remplis. C'est lors de sa troisième saison à Montréal qu'Etcheverry mène son équipe au championnat de la ligue, la coupe Grey. Au terme de cette saison, il est nommé meilleur joueur du Canada, tout juste avant la présentation du match ultime contre les Eskimos d'Edmonton – un match dont on parlera pendant des années.

Alors qu'en toute fin de match les Alouettes mènent avec un score de 25-20, Etcheverry remet le ballon à Hunsinger qui, entouré de joueurs d'Edmonton, tente une passe latérale. Le ballon tombe au sol. Les arbitres, évaluant qu'il s'agit d'une échappée, laissent le joueur d'Edmonton recouvrer le ballon et courir sur 90 verges, jusque dans la zone des buts des Alouettes, qui perdent le match.

Etcheverry, considéré comme le meilleur quart-arrière qu'ait connu l'équipe montréalaise jusqu'à l'arrivée d'Anthony Calvillo, mènera les Alouettes à plusieurs autres finales de la coupe Grey, mais il ne passera jamais plus aussi près de soulever l'emblématique trophée.

Malgré cela, le nom d'Etcheverry s'impose dans l'histoire du sport, non seulement au Canada, mais aussi aux États-Unis. En effet, le réseau NBC évoque régulièrement ses exploits, dont ses 30 passes pour des gains de 508 verges lors du match de la coupe Grey de 1955, que Montréal perd cette fois en raison d'une défense poreuse. Les 22 records qu'Etcheverry et les Alouettes établissent lors d'un même match contre Hamilton en 1956 sont également passés à l'histoire ! Ce match, les Alouettes le remportent 82-14...

Lors des saisons suivantes, l'équipe connaît cependant moins de succès. En novembre 1960, coup de tonnerre ! Les partisans des Alouettes apprennent que leur joueur vedette vient d'être échangé à Hamilton. Rarement a-t-on vu un tel tollé à Montréal ! Les partisans et les journalistes sportifs pourfendent la direction de l'équipe pour ce qu'ils considèrent comme une trahison envers les amateurs de football montréalais.

Etcheverry encaisse aussi très mal cette décision et refuse de se rapporter à sa nouvelle équipe. Il décide de rentrer aux États-Unis, où il signe un contrat avec les Cardinals de Saint-Louis. Ses meilleures années étant derrière lui et son nouveau club étant « abonné » au fond du classement, Etcheverry signe ensuite avec les 49ers de San Francisco en 1963, puis se résout à prendre sa retraite.

LE FOOTBALL DANS LE SANG

En 1964, l'ancien numéro 92 des Alouettes reçoit un appel. On lui propose le rôle d'entraîneur-chef des Rifles du Québec. Trop heureux de revenir à Montréal, Etcheverry accepte. Lorsque l'équipe déménage à Toronto l'année suivante, il choisit de demeurer dans la métropole québécoise, où il entreprend une fructueuse carrière de courtier en valeur mobilière. Son choix est définitif : il ne quittera plus le Québec.

En 1970, les Alouettes font appel à ses services comme entraîneur-chef. Si l'équipe connaît une saison faite de hauts et de bas, elle cause néanmoins la surprise de l'année en remportant la coupe Grey. Etcheverry peut enfin mettre la main sur le trophée qui lui a échappé alors qu'il était joueur ! Il sera d'ailleurs acclamé à tout rompre lors de la parade de victoire qui défile sur la rue Sainte-Catherine, où il partage la première décapotable avec le quart-arrière de l'équipe, Sonny Wade.

Sam Etcheverry décède à Montréal le 29 août 2009.

FAITS SAILLANTS

Lors de son passage avec les Alouettes, de 1952 à 1960, Sam Etcheverry a complété 1969 passes pour des gains aériens totaux de 30 030 verges.

Il a aussi été nommé à 6 reprises sur l'équipe d'étoiles de la division Est et a été élu au temple de la renommée du football canadien en 1969.

Son chandail a été retiré par les Alouettes en 1996.

PIERRE VERCHEVAL

UN HOMME D'ENVERGURE

Toute la carrière de Pierre Vercheval repose sur sa philosophie de vie. Celle-ci commence par un rêve et la conviction qu'il est atteignable. Bien sûr, il faut ensuite consentir aux efforts nécessaires, tout au long du parcours, pour parvenir à le réaliser. Vercheval croit que c'est souvent à cette étape cruciale que les gens abdiquent. Aux premières difficultés, plusieurs baissent les bras, ignorant qu'un rêve, ça se mérite ! L'expérience du footballeur démontre qu'il suffit souvent de passer au travers des premières épreuves pour réaliser qu'on a la force et le potentiel nécessaires pour vaincre toutes celles qui se présenteront par la suite.

Cette approche à la fois positive et réaliste a servi à Pierre Vercheval non seulement à devenir un des plus grands sportifs du Québec, mais aussi à atteindre tous les objectifs personnels qu'il s'est fixés au cours de sa vie.

PREMIER DE CLASSE

Pierre Vercheval est né en Belgique. Arrivé tôt au Québec, il s'initie au football canadien dès 1980, avec le club du Petit Séminaire de Québec. Il y développe ses habiletés pendant deux ans avant de joindre les Diablos du cégep de Trois-Rivières, grâce au programme sport-études. L'équipe remporte le Bol d'or, couronnant la saison du collégial AAA. Redevable à ces programmes qui permettent aux jeunes de pratiquer leur sport favori tout en faisant leurs études, Vercheval, même une fois à la retraite, en vantera les mérites et prêchera pour leur survie.

En 1985, Vercheval joint l'équipe des Citadelles de Québec. À la fin de la saison, on le nomme membre de l'équipe étoile de la Ligue de football junior et, l'année suivante, il débute en football universitaire avec les Mustangs de l'Université de Western Ontario. Il se distingue en étant choisi sur les équipes d'étoiles à deux reprises. En 1987, il reçoit même le trophée J.P.-Metras, remis au meilleur joueur de ligne.

Son parcours amateur, maintes fois récompensé, est d'autant plus méritoire que Vercheval occupe le poste de bloqueur sur la ligne offensive. Il est, en quelque sorte, celui qui fait la «job de bras» afin que les quarts-arrière, les porteurs et les receveurs de ballon puissent s'illustrer et devenir les joueurs vedettes des clubs. Ce travail ingrat mais essentiel, Pierre Vercheval continuera à le faire avec le même brio pendant 14 saisons chez les professionnels.

Un dernier honneur lui échoit avant qu'il grossisse les rangs des footballeurs professionnels: en 1988, Vercheval est l'un des deux seuls Canadiens invités à prendre part au match des étoiles du football universitaire américain, le East-West Shrine *Game,* qui, cette année-là, se déroule à Palo Alto, en Californie.

UN PROFESSIONNEL COMBLÉ

Repêché par les Eskimos d'Edmonton en 1987, Vercheval ne se joint pas immédiatement à l'équipe. C'est qu'il a reçu une invitation qui ne se refuse pas : participer à la période d'entraînement des Patriots de la Nouvelle-Angleterre. Une première pour un footballeur québécois !

Ses services n'étant toutefois pas retenus, Vercheval rejoint les Eskimos d'Edmonton, où il joue durant cinq saisons. Après son séjour, il reçoit une nouvelle invitation à participer à l'entraînement d'une équipe américaine, cette fois les Lions de Détroit. Faute de se tailler une place dans l'équipe, le footballeur revient dans la LCF en 1993, au sein des Argonauts de Toronto. Nouveau cycle de cinq ans, avant de joindre, finalement, les Alouettes de Montréal en 1998.

Le fait de ne pas avoir été retenu chez nos voisins du sud n'a en rien démotivé Pierre Vercheval. La preuve : il est nommé à sept reprises sur les équipes d'étoiles des sections Est et Ouest, et six fois sur l'équipe d'étoiles de la LCF. Il participe à quatre finales de la coupe Grey et inscrit son nom sur celle-ci à deux reprises avec les Argonauts de Toronto. Enfin, chez les Alouettes de Montréal, l'équipe avec qui il joue jusqu'en 2001, Vercheval est nommé joueur de ligne par excellence du circuit canadien, et ce, à un an de sa retraite.

Pas mal pour un joueur de football dont la position ne lui a jamais permis de toucher au ballon de sa carrière !

Après sa retraite, Pierre Vercheval est à nouveau repêché, cette fois par l'équipe du Réseau des sports, où il commente avec un plaisir évident son sport de prédilection.

FAITS SAILLANTS

Pierre Vercheval a complété 14 saisons dans la Ligue canadienne de football. Il a été nommé à 2 reprises meilleur joueur de ligne à l'attaque, en 1987 et en 2000.

En 2007, il est le premier joueur québécois francophone à être intronisé au Panthéon du football canadien. Il est aussi le seul Québécois à avoir disputé plus de 200 matchs dans la LCF.

SUR L'EAU

CAROLINE BRUNET

EFFORTS ET DISCRÉTION

Caroline Brunet a dominé pendant des années sa discipline, le kayak. On peut même affirmer sans se tromper qu'elle est parvenue, presque à elle seule, à propulser le programme de canoë-kayak canadien à un niveau supérieur, ainsi qu'à positionner son pays comme un joueur incontournable sur la scène internationale.

Cette athlète, l'une des plus médaillées du Canada, reste pourtant peu connue, ayant toujours préféré demeurer dans l'ombre. Elle accorde peu d'interviews, fuit les caméras et le côté *glamour* des grands événements sportifs ou jet sets. Lorsqu'on insiste pour la mettre en valeur, ne serait-ce que pour l'honorer, elle parle peu d'elle-même et de ses performances, préférant mettre l'accent sur ceux et celles qui ont contribué à ce qu'elle devienne la personne qu'elle est : l'une des meilleures kayakistes du monde.

HONNEURS, TRAVAIL...

Native de Beauport, Caroline Brunet s'intéresse au kayak dès l'âge de 11 ans. Grâce aux conseils avisés de ses premiers entraîneurs, Denis Barré et Christian Frederiksen, sa progression est très rapide. Elle devient membre de l'équipe nationale canadienne de canoë-kayak à 19 ans et remporte au 500 mètres, sa distance de prédilection, son premier titre national en K-1[1].

Un mois plus tard, la jeune kayakiste participe à ses premiers Jeux olympiques, ceux de 1988, tenus à Séoul. Elle se classe 13e au 500 mètres. C'est son plus mauvais résultat en carrière. Par la suite, elle sera toujours classée parmi les sept meilleurs kayakistes du monde. D'ailleurs, son palmarès aux Championnats du monde est étincelant : Brunet y remporte 21 médailles, soit 10 d'or, 7 d'argent et 4 de bronze.

Ces résultats ne sont pas le fruit du hasard. Caroline Brunet les explique par un entraînement rigoureux de 5 heures par jour, 11 mois par année, ainsi que par les conseils techniques prodigués par ses entraîneurs. Très peu pour elle, la projection, la visualisation, le positivisme et la psychologie sportive : ces approches, elle les laisse à d'autres. Pour elle, la clé du succès réside dans la constance et l'effort.

... ET UN REGRET !

Après ses premiers Jeux olympiques, la kayakiste québécoise participe à quatre autres olympiades. Elle monte sur son premier podium olympique aux Jeux d'Atlanta de 1996, se classant 2e, à 23 centièmes de seconde de la grande gagnante. Alors qu'elle porte au cou sa médaille d'argent, des journalistes lui font remarquer qu'elle

1 Le K-1 est une compétition solo de kayak. Il existe aussi des courses en duo (K-2) et à quatre (K-4).

doit être satisfaite d'être si près de la première place. Elle leur rétorque que ces 23 centièmes de seconde annulent pourtant 4 ans d'efforts qu'elle devra à nouveau consentir pour atteindre son unique objectif, la médaille d'or.

Confiante, Caroline Brunet se présente aux Jeux olympiques de Sydney en 2002. Elle est désignée porte-drapeau de la délégation canadienne. Celle qui n'aime guère les honneurs accepte toutefois celui-ci, d'autant plus que ses compétitions ne se déroulent qu'à la toute fin des Jeux: elle ne sera donc pas désavantagée par sa participation à la cérémonie d'ouverture. Comme à Atlanta, elle remporte la médaille d'argent, derrière Josefa Idem. Cette seconde place, elle met un certain temps à l'accepter.

Lors des derniers Jeux auxquels participe Brunet, à Athènes en 2004, la médaille d'or lui échappe à nouveau. Cette fois, elle se classe troisième. Une déception, même si elle devient ce jour-là une des rares athlètes mondiales à avoir gagné une médaille lors de trois Jeux olympiques consécutifs dans une même épreuve.

Peu de temps après ces Jeux, Caroline Brunet annonce qu'elle se retire des compétitions. Elle l'avoue elle-même, la transition vers sa nouvelle vie est difficile, puisqu'elle doit désormais occuper tant d'heures libres — celles qu'elle consacrait auparavant aux entraînements! Elle les consacre notamment à aider les autres à retrouver la forme et à améliorer leurs performances physiques dans un centre Peak.

À la fois pour le plaisir et pour garder une bonne condition physique, elle s'est aussi mise au vélo de compétition...

FAITS SAILLANTS

Lors des Championnats du monde de 1997, qui se tiennent à Dartmouth, en Nouvelle-Écosse, Caroline Brunet réussit un triplé historique en remportant 3 médailles d'or en K-1 (au 200, au 500 et au 1000 mètres). Elle répétera cet exploit lors des Championnats du monde de 1999 à Milan.

En 1999, elle se voit décerner le trophée Lou-Marsh, remis à l'athlète par excellence au Canada.

Elle est membre du Panthéon des sports canadiens ainsi que du Panthéon des sports du Québec.

MYLÈNE PAQUETTE

PARTONS LA MER EST...

Difficile d'imaginer qu'on puisse envisager de traverser l'océan Atlantique à la rame lorsqu'on a une peur bleue de se retrouver sous l'eau. C'est pourtant l'exploit que va réaliser Mylène Paquette en 2013, à l'âge de 35 ans.

Initiée à la navigation par sa sœur, qui fait de la voile sur le lac Champlain, la future rameuse professionnelle développe une véritable passion pour les grandes courses de voile ainsi que pour les navigateurs qui parcourent les océans sur ces fragiles embarcations. Puis, elle lit un jour le récit d'une traversée de l'océan à la rame. Coup de cœur !

Séduite par l'idée, Mylène Paquette rêve aussitôt de réaliser à son tour un pareil exploit. Elle met toutefois son projet en veilleuse après avoir pris connaissance des déboires qu'ont connus d'autres aventuriers ayant tenté la même odyssée. Il faut dire qu'un élément freine sérieusement son élan : elle comprend qu'elle devra passer de longs moments sous l'eau pour débarrasser la coque de son embarcation des anatifes, ces crustacés à pédoncule qui se fixent aux objets flottants et qui peuvent ralentir de moitié sa vitesse. En effet, cette idée tétanise la jeune fille... qui a une peur bleue de l'eau !

Elle abandonne son projet jusqu'à ce qu'elle ait une discussion animée avec une patiente de 15 ans de l'hôpital Sainte-Justine, où elle travaille. L'adolescente, qui doit choisir chaque jour si elle se bat pour sa vie ou si elle abdique, comprend mal que la jeune femme baisse les bras et abandonne son rêve pour une phobie qui se soigne !

CINQ ANS PLUS TARD

Épuisée mais sereine, Mylène Paquette franchit la ligne d'arrivée à l'île d'Ouessant, après quatre mois à ramer, dans tous les sens du terme ! Elle vient de franchir 2700 milles nautiques – environ 5000 kilomètres – depuis son point de départ, le Royal Novia Scotia Yacht Squadron d'Halifax.

Alors qu'on remorque son embarcation jusqu'au port de Lorient, la jeune femme s'intéresse moins à la côte, où elle a pourtant hâte de poser les pieds, qu'à l'horizon infini qu'elle laisse derrière elle. Cette traversée lui a permis d'abolir bien des frontières dans sa tête ! Elle sait déjà qu'une nouvelle rencontre entre l'océan et elle est inévitable : entre eux, trop de liens se sont tissés pour qu'elle envisage un divorce définitif.

UN QUOTIDIEN TUMULTUEUX

Des bagarres, il y en a eu ! Des 60 premiers jours, Paquette ne peut en ramer que 15, son embarcation faisant régulièrement face à des vents de 100 kilomètres à l'heure et à des vagues de 12 mètres de haut. Il lui faudra donc mettre les bouchées doubles lors des moments d'accalmie et souquer ferme, de six à huit heures par jour.

Pour affronter ces moments difficiles et garder le moral, la routine est primordiale. La jeune femme entame chaque journée en contactant son équipe, qui l'aide à déterminer la meilleure route pour éviter le mauvais temps autant que faire se peut. Autrement, lorsqu'elle ne rame pas, elle s'occupe de son blogue et de sa page Facebook, répond aux élèves qui la suivent, donne des interviews, et procède à l'entretien et aux réparations de son bateau.

C'est que, malgré tout, elle est bien fragile, sa coque de noix ! Surtout lorsqu'elle doit se mesurer pendant des jours à une mer agitée. Éventuellement, Mylène Paquette se retrouve au cœur de la tempête tropicale Humberto. Secouée de toute part, son embarcation chavire, se redresse, chavire à nouveau...

Le calme revenu, la rameuse constate qu'elle a perdu son téléphone et ses antennes satellites, qu'elle n'a plus d'ancre arrière, et que ses vivres ont été souillés par l'eau de mer.

La rejoignant grâce à un second téléphone, son équipe la rassure et l'avise qu'elle va demander de l'aide aux bateaux qui naviguent dans son secteur. Hermel Lavoie, qui assure le soutien technique et tactique, et Michel Meulnet, le routeur météo, se surpassent...

Quelle n'est pas la surprise de Paquette lorsqu'elle découvre, une douzaine d'heures plus tard, que le *Queen Mary 2* s'est dérouté pour lui fournir de la nourriture fraîche et les équipements dont elle a besoin ! Les membres de l'équipage et les 1500 passagers du navire de croisière s'assemblent sur les ponts pour la saluer et l'applaudir. Un moment surréaliste dont elle se souviendra toute sa vie !

Ragaillardie, Mylène Paquette reprend sa traversée – elle se rendra compte, son périple terminé, que les membres de son équipe lui ont caché certaines appréhensions qu'ils avaient pour ne pas affecter son moral. Une nouvelle épreuve l'attend toutefois. Alors qu'elle s'approche du continent européen, elle se retrouve encore une fois au cœur d'une tempête. Celle-ci s'appelle Christian.

Si son embarcation est conçue pour se redresser d'elle-même, Mylène Paquette, qui ne s'est pas attachée, se heurte la tête et perd connaissance.

Le réveil est brutal. En plus de ses blessures qu'elle doit soigner du mieux qu'elle peut, elle constate qu'elle a cette fois perdu son éolienne, sa principale source d'énergie. Heureusement, l'aventure tire à sa fin...

Quelques jours plus tard, Mylène Paquette devient la première Nord-Américaine à avoir traversé l'Atlantique Nord à la rame.

***

En cours de route, la jeune femme a développé un attachement durable pour l'océan, même s'il a bien failli la submerger à quelques reprises. Comment lui en vouloir ? C'est elle qui est allée le provoquer !

Alors qu'elle perçoit les premiers sons lui parvenant de la côte, Mylène Paquette ne peut échapper aux souvenirs qui se bousculent dans sa tête. D'abord, ces 1850 jours de préparation qui, en définitive, lui paraissent aujourd'hui beaucoup plus difficiles que la traversée elle-même, étant donné qu'elle en retirait peu de satisfaction immédiate, au contraire de celle que l'océan lui a si souvent procurée, malgré leurs fréquentes confrontations.

Au terme de son périple, elle réalise que, si elle a parfois craint pour sa vie, elle s'inquiète aujourd'hui davantage de la survie de son nouvel allié, l'océan. Car cet univers, parfois inhospitalier et terrorisant, est beaucoup plus fragile qu'il n'y paraît...

LE TENNIS

SÉBASTIEN LAREAU

ENFANT DE LA BALLE

Lorsque Sébastien Lareau décide de se retirer définitivement des compétitions de tennis en 2002, c'est non seulement une passion, mais un mode de vie qu'il laisse derrière lui. Il anticipe d'ailleurs que l'euphorie que la compétition lui apporte soit difficile à retrouver dans un quotidien plus formaté, plus prévisible.

Son inquiétude est fondée. Lareau peine à tourner la page sur tout un pan de son existence. Après tout, le tennis est au cœur de sa vie depuis qu'il a 6 ans, d'abord pour le simple plaisir de jouer, puis pour celui que procure la compétition, surtout après une victoire !

Car Sébastien Lareau gagne. Souvent. À 9 ans, il est le meilleur tennisman chez les 12 ans et moins au Canada ; il remporte sa première médaille d'or à 10 ans, aux Jeux du Québec de 1983, et remporte sa dernière en 2000, aux Jeux olympiques de Sydney, avec son partenaire de double, Daniel Nestor.

LES DEUX FONT LA PAIRE

Lorsque Sébastien Lareau commence à gagner ses matchs avec régularité, il se laisse porter par ses succès et attend de voir jusqu'où ils le mèneront. Il n'ose pas rêver à une carrière internationale, les modèles québécois étant rares à l'époque.

Si, jusque-là, il se démarque sur le plan individuel, sa rencontre avec Sébastien Leblanc, avec qui il joue en double dès 1990, le propulse à un autre niveau. Leur chimie est telle que leurs entraîneurs décident de les inscrire au tournoi junior Roland-Garros. À la surprise générale, le tandem, peu connu, remporte le titre.

À la suite de cette victoire inattendue, les deux joueurs sont invités, trois semaines plus tard, au tournoi junior de Wimbledon. Or, Lareau n'a jamais joué un match sur gazon… Ils remportent tout de même ce tournoi prestigieux et sont désormais classés premiers dans leur catégorie d'âge. Les deux Sébastien décident de tenter leur chance chez les professionnels, tant en solo qu'en double.

La marche est haute. D'autant plus qu'à l'époque, le Québec et le Canada ne disposent pas encore d'infrastructures adéquates pour accompagner et faire progresser leurs athlètes. C'est donc en misant sur leur talent brut que Lareau et Leblanc vivent dans leurs valises et rêvent de se tailler une place parmi les meilleurs.

Si Sébastien Lareau garde de bons souvenirs de ses débuts sur le circuit professionnel, il avoue avoir parfois souffert de la solitude, étant loin de sa famille. Il se sent d'autant plus isolé qu'il ne bénéficie qu'à de rares occasions de la présence d'un entraîneur pouvant le conseiller ou lui remonter le moral lors des moments difficiles.

LES ANNÉES DE RÊVE

Si le duo Lareau-Leblanc perdure un moment, le fait que l'un et l'autre mènent en même temps des carrières solos fait en sorte que Lareau change de plus en plus souvent de partenaire. C'est entre autres le cas en 1999, sans doute sa meilleure année, alors qu'il joue avec trois coéquipiers différents. Il connaît le plus de succès avec Alex O'Brien : cette année-là, le duo remporte quatre tournois majeurs, dont le Championnat mondial en double ainsi que le prestigieux US Open. Lareau devient ainsi le premier Canadien à remporter un tournoi du Grand Chelem.

Fort de ses victoires avec O'Brien, Sébastien Lareau, plutôt que de se conforter dans cette situation favorable, opte pour un nouveau changement de partenaire. Son objectif : remporter une médaille olympique. Lareau convainc son compatriote Daniel Nestor de se joindre à lui en vue des Jeux de Sydney, en 2000.

Les deux tennismen entament leurs matchs préliminaires en battant l'un après l'autre des partenaires de jeu plus expérimentés et plus habitués à jouer ensemble, ce qui accroît leur confiance en eux. Or, après chaque victoire, la pression monte. Elle est au plus haut lorsqu'ils obtiennent leur laissez-passer pour la grande finale ; afin d'échapper à la pression médiatique, les deux amis s'isolent, loin du site des Jeux.

Leur ultime rencontre commence sur un mauvais pied puisqu'ils concèdent la première manche. Se ressaisissant, Sébastien Lareau et Daniel Nestor, portés par la grâce et un jeu impeccable, remportent les trois manches suivantes contre le duo de l'heure, celui des champions en titre Todd Woodbridge et Mark Woodforde. Lareau, généralement peu démonstratif tant dans la victoire que dans la défaite, saute dans les bras de son partenaire !

Au Québec, leur succès permet d'accélérer le développement des programmes de formation en tennis. Une autre énorme victoire !

FAITS SAILLANTS

Au cours de sa carrière, Sébastien Lareau a gagné 17 titres en double, ce qui lui a valu d'être classé 4e au monde. En simple, il est le premier Canadien à avoir franchi la barrière des 100 meilleures raquettes, se classant 76e en 1995.

Son palmarès individuel comporte des victoires contre Michael Chang, Jim Courier, Gustavo Kuerten, Alex Corretja et Magnus Norman.

LES SPORTS DE COMBAT

ÉRIC LUCAS

LE « LUCKY LUKE » DU RING

Même si Éric Lucas a pris sa retraite en 2010 et qu'il s'est progressivement éloigné du milieu de la boxe, il ne passe pas une journée sans qu'on l'aborde sur la rue pour le saluer et le remercier d'avoir comblé, pendant tant d'années, les amateurs de boxe du Québec.

Lucas s'étonne chaque fois de cette affection. Même s'il est satisfait de la carrière qu'il a menée et des exploits qu'il a accomplis, la fin de son parcours ne fut pas celle qu'il aurait souhaitée. Aussi est-il ravi que les gens aient surtout retenu ses bons moments.

LA BOXE COMME PLANCHE DE SALUT

Natif du quartier Saint-Michel, à Montréal, Éric Lucas est élevé par sa mère au sein d'une famille monoparentale. Connaissant peu de succès à l'école, il abandonne les classes à 14 ans. Il a alors le choix entre la rue et le gymnase. Il se tourne vers le second.

Inscrit à une école de boxe estivale, il est remarqué par le promoteur Yvon Michel, qui lui propose de le prendre sous son aile en même temps qu'un autre jeune boxeur, Stéphane Ouellet. Contrairement à ce dernier, Lucas ne connaît pas une carrière amateur très reluisante, même s'il remporte le Championnat canadien juvénile des 15-16 ans.

En 1992, Éric Lucas commence sa carrière professionnelle en servant entre autres de partenaire d'entraînement à Ouellet, qu'on lui considère comme supérieur. Yvon Michel leur désigne un entraîneur qui en est lui aussi à ses débuts, Stéphane Larouche.

Lucas surprend tout le monde en devenant, en 1993, le champion canadien des super-moyens, puis, l'année suivante, le champion nord-américain de la même catégorie. Une défaite ralentit cependant sa progression en 1995 et l'éloigne un temps d'Yvon Michel.

CHAMPION EN PUISSANCE

Désireux de relancer sa carrière en montrant à tous qu'il a le courage et la détermination nécessaires pour devenir champion du monde, Éric Lucas accepte un combat dans une catégorie supérieure à la sienne. Il montera sur le ring pour affronter le champion français Fabrice Tiozzo, en 1996.

Lucas perd le combat par décision, mais, contre toute attente, il tient bon 12 rounds devant un adversaire nettement plus puissant que lui. Il a gagné son pari : on le remarque !

Cette prestation lui permet d'obtenir un combat avec Roy Jones Jr. cinq mois plus tard. Celui-ci est alors considéré comme le meilleur boxeur du monde, livre pour livre. Nouvelle défaite pour Lucas, mais sa performance lui vaut encore une fois de nombreux éloges.

En 1999, plus sûr de ses moyens, il enfile une série de victoires qui le classe au deuxième rang de la hiérarchie mondiale dans sa catégorie. Le boxeur, qui fait désormais partie de l'écurie InterBox créée par Yvon Michel, avec qui il a renoué, obtient un combat contre l'aspirant numéro un, Glenn Catley. Éric Lucas livre un autre combat mémorable, mais il se fracture la main et perd par K.O. technique.

Jouant de malchance, Lucas, qui espère prendre sa revanche, se casse à nouveau la main lors d'un combat contre Lennox Lewis. S'ensuit une longue convalescence de 14 mois avant qu'il puisse obtenir, en juillet 2001, un combat contre Catley, ce dernier devenu disponible à la suite de l'emprisonnement de Dave Hilton Jr.

Cette fois, Lucas ne rate pas sa chance ! Il défait son adversaire, ses coups rapides l'envoyant trois fois au tapis, avant qu'il n'y reste pour de bon. Lucas devient ainsi le septième Québécois à être sacré champion du monde à la boxe.

Au cours des années suivantes, il défend et conserve son titre à maintes reprises. Lucas suscite un tel engouement auprès des jeunes du Québec qu'une vingtaine de clubs de boxe verront le jour pendant son règne !

UN GENOU AU PLANCHER

En avril 2003, Éric Lucas affronte Markus Beyer en Allemagne. Le combat est serré, mais les observateurs lui donnent tout de même l'avantage. La surprise est donc totale lorsque le verdict tombe en faveur de Beyer.

Après cette décision contestée, le boxeur québécois connaît une série de défaites. D'abord en décembre 2003 contre Danny Green, puis en janvier 2006 face au Danois Mikkel Kessler. Comme si ce n'était pas assez, InterBox menace à la même époque de faire faillite. Lucas, qui est l'un de ses principaux créanciers, prend le groupe en main avant de jeter les gants. Il annonce sa retraite de la boxe; pour récupérer l'argent qu'on lui doit, il a recours aux tribunaux.

Après avoir investi une bonne partie de sa vie dans la boxe, Éric Lucas devient un homme d'affaires à plein temps, tout en se consacrant à une cause qui lui tient à cœur: s'assurer que les jeunes issus des milieux défavorisés optent, comme lui, pour le sport plutôt que pour la rue.

FAITS SAILLANTS

En carrière, Éric Lucas présente un dossier de 39 victoires dont 15 par K.O., de 8 défaites et de 3 combats nuls.

GAÉTAN HART

CELUI QUI A CHANGÉ LA BOXE AU QUÉBEC

Tous les boxeurs savent qu'ils pratiquent un sport dangereux, mais peu envisagent l'idée que leurs poings puissent un jour tuer quelqu'un...

Le 20 juin 1980, Gaétan Hart sent le sol lui glisser sous les pieds. On lui annonce que son adversaire, Cleveland Denny, qu'il vient de mettre K.O., est dans le coma ; ses chances de survie sont quasi nulles. De fait, Denny mourra 16 jours plus tard.

Ce combat s'annonçait pourtant comme la concrétisation d'un rêve. Hart et Denny avaient été choisis pour livrer le combat préliminaire à la carte principale, qui opposait Sugar Ray Leonard à Roberto Duran. Le Stade olympique, où avait lieu le combat, était déchaîné lorsque, au dixième round, Hart a envoyé son adversaire au tapis. Une euphorie passagère qui allait rapidement se métamorphoser en cauchemar, du type à hanter quelqu'un toute sa vie...

DE *BUM* À CHAMPION

Né en 1953 à Buckingham, Gaétan Hart devient boxeur professionnel en 1973. Il y voit le moyen de faire un peu d'argent, qu'il peut ensuite dépenser avec ses amis à la taverne. Comme les combats rapportent peu, il n'en refuse aucun.

Souvent engagé à la dernière minute, mal préparé, Hart donne cependant tout ce dont il est capable aussitôt qu'il monte dans le ring. En fait, gagner ou perdre lui importe peu ; ce qui compte, pour lui, c'est de profiter de la vie au maximum.

Hart se relève d'un état d'ébriété profond lorsque son gérant d'alors lui annonce qu'il a un combat de prévu à Porto Rico, et que ce combat pourrait lui rapporter 500 $. Il accepte, comme toujours, d'autant plus que le montant est alléchant – il apprendra plus tard que la bourse offerte est plutôt de 5000 $.

Ce n'est qu'une fois dans l'avion que Hart apprend l'identité de son adversaire : Alfredo Escalera, le champion du monde en titre. Ébranlé, il réalise qu'il n'est pas du tout prêt pour un tel affrontement. Il se remet à peine du K.O. qui a mis fin à son dernier combat.

Hart monte néanmoins dans le ring, où il vend chèrement sa peau pendant six rounds avant de concéder la victoire, le visage tuméfié. Il décide alors qu'il en a assez de recevoir des coups ! À l'avenir, c'est lui qui les donnera.

Dès lors, Hart voit moins ses amis, ne fréquente plus la taverne et se met sérieusement à l'entraînement.

LE DRAME DU CHAMPION

Gaétan Hart entreprend donc ce que l'on peut considérer comme le début d'une nouvelle carrière. En avril 1978, il atteint un premier objectif en remportant la ceinture canadienne des poids légers. Il la conserve durant 16 mois avant de la concéder à Nick Furlano. Celui-ci doit cependant la remettre à Hart sept mois plus tard. Le champion canadien entend le demeurer !

En 1980, Hart défend encore une fois son titre, face à Ralph Racine. Au 12e round, il accule ce dernier dans un coin et lui assène une rafale de coups qui l'envoie au tapis. Racine quitte l'arène sur une civière et demeure dans le coma plusieurs semaines ; une fois rétabli, il est forcé de prendre sa retraite.

Le prochain boxeur à affronter Hart n'aura pas cette possibilité... Après la mort de Cleveland Denny, Gaétan Hart, même s'il craint la réaction de la famille, se présente au salon mortuaire et dépose sa ceinture de champion sur le cercueil du boxeur. Hart veut ainsi rendre hommage à son adversaire, qui était un grand champion.

Toujours ébranlé par la tragédie, il s'éloigne un moment de la boxe. Il perd son titre de champion, mais il le récupère une troisième fois en 1981, dans un combat contre Michel Lalonde. Plusieurs observateurs du milieu notent cependant que si l'homme se remet lentement, le boxeur, lui, n'est plus tout à fait le même.

Hart avoue que son combat contre Denny a, en quelque sorte, mis fin à sa carrière, bien qu'il ait livré de nombreux combats par la suite. Désormais, lorsqu'il coince son adversaire dans les câbles, il hésite à porter les coups qui l'achèveraient. En fait, lors des 26 combats qu'il livre après le drame, Hart n'en remporte que 14. Surtout, il comprend qu'il n'a plus ce désir de vaincre l'adversaire à tout prix pour aspirer au titre de champion mondial.

Au moment de prendre sa retraite, Gaétan Hart a un dossier totalisant 57 victoires, 31 défaites et 5 combats nuls.

LA BOXE SOUS SURVEILLANCE

Il n'y a pas que Gaétan Hart qui ne sera plus le même à la suite du décès de Cleveland Denny. La Régie de la sécurité dans les sports du Québec dépose le rapport Néron, qui évalue les risques liés à la pratique de la boxe et fait les recommandations nécessaires pour les limiter.

Il faut savoir que, à ce moment, un boxeur professionnel peut livrer jusqu'à 10 combats par année. Il est même arrivé à Hart de monter sur le ring deux fois la même semaine.

Après le dépôt du Rapport, la boxe sera régie par une seule fédération, un suivi médical sera obligatoire après chaque combat, et les combats seront espacés de manière à permettre au boxeur de bien récupérer. Le nombre de rounds permis est aussi limité, et la différence de poids entre les pugilistes, mieux contrôlée.

JEAN PASCAL

LES SCEPTIQUES SERONT CONFONDUS !

L'arrivée de Jean Pascal sur la scène de la boxe québécoise ne passe pas inaperçue ! Son côté spectaculaire et provocateur, tant sur le ring qu'en dehors de l'arène, soulève les passions. Pour les uns, Pascal n'est qu'une « grande gueule » qui a tout à démontrer sur le ring ; pour les autres, qui affirment bien le connaître, cet aspect de sa personnalité n'est qu'une façade cachant la profonde insécurité du boxeur plutôt qu'un ego démesuré...

ROUNDS PRÉLIMINAIRES

Nés à Haïti, Jean Pascal et son frère, Nicholson, s'installent avec leur mère à Laval. Jean, âgé de 4 ans, ne parle alors que le créole.

Le jeune Pascal s'intéresse aux sports d'équipe, notamment parce que cela lui permet de se faire des amis, tout en favorisant son apprentissage du français et de l'anglais. Il fait rapidement la démonstration de ses qualités athlétiques au soccer, mais aussi au hockey, grâce à un oncle qui lui met des patins dans les pieds dès son arrivée au Québec. C'est toutefois la boxe, que son frère pratique déjà, qui remportera son cœur – au grand désespoir de sa mère.

Pascal s'entraîne au Club de boxe Champions dans le quartier Saint-Michel, où il est pris en charge par Sylvain Gagnon, qui fut aussi l'entraîneur d'Éric Lucas. Il livre ses premiers combats amateurs à 13 ans et, deux ans plus tard, remporte le Championnat canadien juvénile. À partir de ce moment, il ne regarde plus en arrière : il sera boxeur professionnel. Le jeune homme gagne petit à petit en confiance, ce qui se traduit en résultats dans le ring, mais aussi à l'école ; cela rassure sa mère.

Parmi les 121 combats qu'il livrera chez les amateurs, Jean Pascal en gagnera 103. Il remporte sept Championnats canadiens consécutifs et est consacré boxeur de l'année trois fois d'affilée, de 2001 à 2003. Sur la scène internationale, il gagnera l'or aux Jeux de la francophonie et aux Jeux du Commonwealth, et il monte sur la troisième marche du podium aux Jeux panaméricains en 2003.

COMBATS PROFESSIONNELS

En janvier 2005, Jean Pascal fait le saut chez les professionnels au sein du Groupe Yvon Michel. Il connaît des débuts fulgurants, du moins sur papier : Pascal, qui boxe dans la catégorie des poids super-moyens, remporte par K.O. 11 de ses 12 premiers combats. Certains analystes relativisent toutefois ses succès en avançant que quelques-uns de ses adversaires étaient des faire-valoir, choisis uniquement pour mousser sa réputation et le faire grimper au classement des aspirants au titre de champion dans sa catégorie.

Si cette tactique est contestable, elle n'est en rien déloyale. On l'utilise dans le domaine depuis des lustres. Au bout du compte, elle permet à Pascal de conquérir un à un les titres nord-américains et lui forge une réputation de pugiliste flamboyant, capable de rapidement mettre fin à un combat… C'est exactement le style de boxeur que recherchent les réseaux sportifs de télévision à la carte !

Le parcours de plus en plus médiatisé de Pascal connaît son apogée le 19 juin 2009, alors qu'il livre ce que plusieurs connaisseurs considèrent comme le meilleur combat de boxe tenu cette année-là. Après avoir subi un premier échec chez les professionnels en décembre 2008, dans un combat contre le Britannique Carl Froch, Jean Pascal donne raison à son premier entraîneur, qui avait vu en lui un diamant brut, l'aura d'un futur champion. Il remporte par décision unanime des juges la ceinture des mi-lourds de la WBC contre Adrian Diaconu, qui n'avait jamais été battu jusque-là.

Pascal répète son exploit lors du combat revanche tenu quelques mois plus tard. Ce second duel s'avère tout aussi acharné que le premier. Lors du 10e assaut, Jean Pascal éprouve des difficultés avec son épaule droite ; on constate qu'il s'est disloqué l'épaule. Son entraîneur la lui replace et se croise les doigts pour qu'elle tienne le coup lors des deux derniers rounds. Pascal, contre toute attente, domine les derniers rounds en ne se servant que de son bras gauche pour porter ses coups. Les juges lui octroient la victoire, encore une fois par décision unanime.

Faisant taire ceux qui doutaient de son talent, Jean Pascal devient une idole et un exemple pour les jeunes, particulièrement ceux issus de milieux défavorisés, en manque de héros à qui s'identifier. On rédige même une courte biographie du boxeur destinée en priorité au milieu scolaire.

Au cours de l'année suivante, l'athlète défend son titre avec succès contre Silvio Branco, Chad Dawson et Bernard Hopkins. Ce dernier mettra cependant fin au règne de Pascal en lui reprenant sa ceinture le 21 mai 2011.

Après avoir atteint les sommets, la carrière de Pascal connaît des hauts et des bas. En janvier 2014, Pascal bat Lucian Bute devant plus de 20 000 spectateurs au Centre Bell de Montréal, mais, en mars de l'année suivante, il est mis K.O. au huitième round lors du combat qui l'oppose au Russe Sergey Kovalev pour le titre de champion du monde des mi-lourds.

Grâce à sa fiche plus que respectable de 29 victoires, 3 défaites et 1 combat nul, ainsi qu'à son style flamboyant qui fait le bonheur des réseaux spécialisés, Pascal figure toujours sur la courte liste des prétendants à des combats de championnat. Et il n'a sans doute pas dit son dernier mot !

STÉPHANE OUELLET

LE BOXEUR-POÈTE

Étrange mais vrai: c'est l'amour qui a fait en sorte que Stéphane Ouellet est devenu l'un des boxeurs les plus appréciés du Québec au cours des années 1990! Pour être plus précis, ce sont les épanchements de sa sœur pour un boxeur saguenéen qui orientent définitivement la vie et la carrière du jeune garçon, plutôt du genre à fréquenter les arénas, où il jouait au hockey.

En effet, sa sœur comprend que, pour avoir accès le plus possible au gymnase où s'entraîne celui qu'elle convoite, elle a besoin d'un laissez-passer; ce sera Stéphane! Elle le persuade qu'avec des muscles comme les siens, la boxe est tout indiquée pour lui. Sa tactique remporte du succès lorsqu'elle ajoute que les filles raffolent des boxeurs...

Stéphane Ouellet, alors âgé de 12 ans, se laisse entraîner dans l'aventure de la boxe, faisant à la fois le bonheur de sa sœur et le sien, puisqu'il devient vite amoureux de ce sport. Il réalise qu'en raison de sa forte personnalité, les sports individuels lui conviennent davantage que les sports d'équipe.

Les premiers à se rendre compte du talent brut, mais aussi de la tête dure que possède Ouellet, ce sont ses entraîneurs ; le boxeur confesse volontiers son arrogance. S'il est fier de presque tous les combats qu'il a livrés, il l'est beaucoup moins de l'orgueil condescendant dont il a longtemps fait preuve. Peut-être cette attitude est-elle due à ses débuts amateurs, où il remporte un succès fulgurant.

Même si Ouellet se rebelle contre ses entraîneurs et néglige sa préparation, les résultats sont là : il gagne tous ses combats et, par le fait même, le cœur des amateurs de boxe. Son ascension, tout comme celle d'Éric Lucas, qui débute en même temps que lui, est d'autant plus rapide que le sport pugilistique traverse une période morose au Québec à la fin des années 1980.

Hors du ring, Ouellet est tout aussi imperméable aux conseils. Il entend profiter à plein de sa gloire naissante. L'homme fait de sa vie une bacchanale sans fin. Ceux qui l'observent se demandent combien de rings il tiendra s'il garde ce rythme...

D'UN K.O. À L'AUTRE

Stéphane Ouellet entame sa carrière professionnelle le 17 décembre 1991, devant les siens, à Jonquière. Il affronte alors Robert Rockwell, qu'il met K.O. au quatrième round. Puis il gagne ses 13 premiers combats apparemment sans trop d'efforts, entre autres celui du 16 novembre 1993 à l'aréna Maurice-Richard : ce combat le consacre champion canadien de la catégorie des super-mi-moyens. C'est le titre qu'il gagnera le plus souvent au cours de sa carrière, et celui qui assoira sa réputation.

Persuadé que rien ne peut l'arrêter, Ouellet obtient un combat contre Darrin Morris, qui détient alors la ceinture de champion de l'International Boxing Council. Le soir de juillet 1994 où il affronte Morris, Stéphane Ouellet encaisse son premier revers. Il sait désormais que la défaite est possible, mais il ne renonce pas pour autant à livrer des combats qui ont pour enjeu des titres internationaux. Il s'empare l'année suivante de la ceinture de champion de la World Boxing Council puis, en 1996, du titre de champion d'Amérique du Nord de la North American Boxing Federation.

Ce sont néanmoins ses combats contre Alain Bonnamie, Alex Hilton puis Dave Hilton Jr. qui marqueront durablement l'imaginaire des Québécois.

En février 1995, Ouellet se mesure à Alain Bonnamie. Ce dernier vient de livrer un solide combat contre Raúl Márquez, qui sera bientôt consacré champion du monde. Il s'agit donc d'un test d'importance pour Ouellet, que les observateurs défavorisent par rapport à Bonnamie.

Lors de ce combat, Stéphane Ouellet fait la démonstration de ses nombreux atouts, dont la rapidité de ses mains et sa force de frappe. Au cinquième round, il témoigne d'une audace inouïe en ouvrant sa défensive pour atteindre Bonnamie d'une droite solide. Ce dernier, les yeux révulsés, s'effondre, K.O.

Ouellet aligne ensuite une dizaine de victoires, dont celle contre Alex Hilton en avril 1998. Cependant, il perd son titre de champion canadien en novembre de la même année, dans l'un des combats les plus médiatisés et controversés de la boxe québécoise, qui l'oppose à Dave Hilton Jr. L'arbitre, Denis Langlois, met fin au combat lors du 12e round, évoquant un K.O. technique. Ouellet, qui dominait nettement l'affrontement, réfute la décision de Langlois. Ce dernier se retirera d'ailleurs de l'arbitrage peu de temps après ce combat.

Stéphane Ouellet obtient un combat revanche quelques mois plus tard, mais il y est mis K.O. par Hilton au troisième assaut. Pugnace, il tient à reconquérir son titre, toujours détenu par Hilton. Dans un combat d'anthologie, il parviendra à ses fins le 8 septembre 2000, gagnant grâce à une décision unanime des juges. Même Hilton, avant que le résultat ne soit connu, soulève le bras de Ouellet et fait le tour du ring avec lui.

Ce sera toutefois le chant du cygne, la dernière grande victoire de Ouellet en carrière.

LE DÉCLIN

Après une défaite en avril 2001 aux mains d'Omar Sheika, Ouellet se retire pendant trois ans de la compétition. Il devient entraîneur, tente sa chance dans des combats extrêmes et pratique de nombreux métiers pour gagner sa croûte. Surtout, il se bat contre ses démons intérieurs.

Outre la boxe, le seul élément constant dans sa vie est l'amour qu'il voue à la poésie. Non seulement en lit-il beaucoup, mais, il en écrit aussi – une passion qui le démarque des autres pugilistes !

Ouellet tente un retour au combat en 2004 contre Joachim Alcine, qui l'envoie au tapis dès le premier assaut. Refusant de quitter la scène sur cette note pathétique, il livre, en septembre 2014, un dernier combat de quatre rounds contre Cedric Spera. Bien qu'il perde également ce combat, Ouellet y montre une dernière fois toutes ses qualités de boxeur. Surtout, il se retire en laissant un meilleur souvenir à ses admirateurs. Les spectateurs présents lui réservent d'ailleurs une longue ovation.

YVON ROBERT

« LE LION DU CANADA FRANÇAIS »

Quelques années avant Maurice Richard, un autre homme a canalisé la fierté des Canadiens français, incapables, prétendait-on, de produire des sportifs de calibre international ; il s'agit du lutteur Yvon Robert. Animés par la même flamme intérieure et le même désir de vaincre, Robert et Richard deviendront d'ailleurs de grands amis.

Au milieu des années 1930, la lutte est le sport qui connaît l'essor le plus spectaculaire au Québec, et Yvon Robert, un athlète accompli, en devient le fer de lance. Déjà, à l'aréna Mont-Royal, ses combats attirent jusqu'à 8000 spectateurs. À l'été 1936, il remplit une première fois le Forum lorsqu'il remporte le titre de champion du monde face à l'Américain Dan O'Mahony — un exploit qu'il répétera à plusieurs reprises.

Des observateurs sportifs et économiques estiment du reste que ce sont les prestations d'Yvon Robert qui ont sauvé le Forum de Montréal de la faillite. L'édifice, ouvert en 1924, doit à l'époque composer avec les contrecoups de la crise de 1929. Même les Canadiens de Montréal peinent à attirer plus de 1000 spectateurs lors de leurs matchs à domicile !

UN ATHLÈTE-NÉ

Yvon Robert voit le jour le 8 octobre 1914 à Verdun. Dès l'adolescence, il se démarque par une stature et une force exceptionnelles. Lorsqu'il n'est pas en classe chez les frères de Saint-Gabriel puis à l'École technique de Montréal, on le trouve, le plus souvent, au gymnase de la Royal Navy, en train de pratiquer un des nombreux sports qu'il affectionne, comme la gymnastique, la natation, la boxe et la lutte.

En 1931, un entraîneur de ce centre, impressionné par les qualités athlétiques du jeune homme, suggère à Robert de participer à l'entraînement d'Émile Maupas, un ancien champion de lutte gréco-romaine. Pendant 10 mois, Robert se soumet aux directives de Maupas, avant d'être recruté par un promoteur de lutte, Lucien Riopel, qui lui permet de livrer son premier combat professionnel le 9 avril 1932 à l'aréna Mont-Royal. Robert reçoit à cette occasion une bourse de 25 $, soit quelque 350 $ en dollars d'aujourd'hui.

À compter de cet instant, Yvon Robert, qui n'a alors que 18 ans, connaît une ascension fulgurante. Sa réputation gagne même la Nouvelle-Angleterre ! C'est d'ailleurs lors d'un gala dans cette région qu'il rencontre Eddie Quinn, le gérant qui s'assurera qu'il atteigne les plus hauts sommets et qu'il y demeure le plus longtemps possible.

Avec Quinn, Robert met moins de deux ans pour devenir une véritable célébrité sportive. Il faut dire que le lutteur de 6 pieds, qui fait 250 livres, met les bouchées doubles et multiplie les combats. Il en enfilera près de 600 en 3 ans ! Son charisme, son style athlétique et sa technique irréprochable électrisent les foules, qui rêvent, comme lui, de le voir devenir champion du monde.

LA CEINTURE EN OR

À l'époque de l'ascension d'Yvon Robert au panthéon de la lutte, un combat comporte trois manches, sans limites de temps. Robert livre d'ailleurs quelques combats aussi mémorables qu'interminables! C'est le cas le 8 octobre 1934, alors qu'il affronte Earl McCready, un lutteur ontarien ancien champion de lutte gréco-romaine. Après trois heures de combat, c'est toujours l'impasse entre les deux hommes... L'arbitre décide alors de déclarer le match nul: il faut bien que les spectateurs puissent regagner leur foyer!

Or, pour rien au monde les 10 000 spectateurs qui s'entassent dans le Forum de Montréal le 16 juillet 1936 n'auraient accepté qu'on les renvoie à la maison avant l'issue du combat opposant Yvon Robert à Dan O'Mahony. La foule survoltée sait bien que leur préféré en est à sa cinquième et probablement dernière chance de ravir le titre de champion du monde à celui qui l'a déjà battu à quatre reprises.

Première manche. Grâce à sa supériorité technique, Yvon Robert provoque l'abandon de son adversaire grâce à une clé de bras. C'est l'hystérie dans l'amphithéâtre!

Deuxième manche. O'Mahony, de toute évidence, n'entend pas céder son titre aussi facilement. Lors d'une manœuvre que n'anticipe pas Robert, il assomme celui-ci. Yvon Robert bat en retraite au vestiaire afin de reprendre ses esprits pendant l'entracte. La foule est également sonnée. De la frénésie collective initiale ne subsiste qu'un murmure. On craint que Robert ne soit forcé à l'abandon; c'est mal connaître celui qu'on surnomme désormais « le Lion du Canada français ».

Troisième manche. Le combat est âpre entre le champion en titre et l'aspirant. Yvon Robert scelle finalement l'issue du combat grâce à un saut chassé à la hauteur du plexus, qui envoie O'Mahony au tapis.

Sacré champion du monde, Yvon Robert exhibe fièrement sa ceinture à ses partisans en délire !

UN, DEUX, TROIS...

Après cette victoire à son premier championnat, Yvon Robert bénéficiera encore bien des années de l'affection des amateurs de lutte, au point où de nombreux Québécois hériteront de son nom de famille comme prénom ! On l'apprécie bien sûr pour l'athlète hors du commun qu'il est, mais aussi pour ses qualités humaines.

Il en fera la démonstration, entre autres, après le débarquement de Dieppe en Normandie, le 19 août 1942, où de nombreux soldats appartenant aux Fusiliers Mont-Royal sont faits prisonniers. Le lutteur profite de sa notoriété pour organiser de nombreux événements-bénéfices afin que les Dames auxiliaires du régiment puissent venir en aide aux soldats faits captifs ainsi qu'à leur famille.

Affecté par des problèmes cardiaques, Yvon Robert livre son dernier combat en 1957, dans ce Forum qui lui doit tant.

Le Lion décède le 12 juillet 1971 des suites de son huitième infarctus.

FAITS SAILLANTS

— Yvon Robert a participé à plus de 5000 combats.

— En 1942, il est le premier Canadien français à remporter le titre de champion poids lourd d'une association américaine, la National Wrestling Association.

— Il remporte, en plus de nombreux championnats nationaux, 12 titres mondiaux, dont le dernier en 1956, contre Wladek Kowalski.

GEORGES ST-PIERRE

D'INTIMIDÉ À CHAMPION MONDIAL

Si Georges St-Pierre incarne aujourd'hui un superhéros invincible, les débuts de son existence furent nettement plus humbles et effacés. Né le 19 mai 1981 à Saint-Isidore, un village de la rive sud de Montréal, St-Pierre est le fils d'un poseur de revêtement de plancher et d'une préposée aux bénéficiaires. Il est issu d'un milieu somme toute modeste auquel, même au sommet de sa gloire, il restera attaché : c'est là qu'il acquiert les valeurs lui ayant permis de rester bien ancré dans la réalité.

Plutôt doué à l'école et lauréat de nombreux prix d'excellence, le « bon petit gars » St-Pierre dérange et est très vite victime d'intimidation. D'autres écoliers, agacés d'être constamment comparés à lui, le volent et le tabassent. Inquiet, son père, Roland, ceinture noire de karaté, l'initie à son art martial. De plus, en guise de pénitence, il oblige son fils, hyperactif, à descendre au sous-sol et à frapper sur son *punching bag*!

S'il parvient à se faire respecter davantage, le jeune St-Pierre réalise néanmoins que la vie ne se déroule pas toujours comme dans les films d'action... On ne peut rien contre la force du nombre! Cela ne l'empêche pas de poursuivre sa formation en arts martiaux. Il obtient le grade 2e dan en karaté Kyokushin dès l'âge de 12 ans.

MUSCLER LE CORPS ET L'ESPRIT

En 1993, adolescent, Georges St-Pierre découvre les combats extrêmes qui sont présentés à la télévision. Il est tout de suite fasciné par ce type de combat mixte. Apprenant qu'il est possible d'assister à des représentations à Kahnawake, près de chez lui, il s'échappe quelquefois de la maison pour y assister à l'insu de ses parents.

St-Pierre se met à rêver – une chose étonnante pour cet enfant qui ne rêve pas beaucoup. Il deviendra l'un de ces combattants! Après avoir longuement hésité, il se résout à annoncer à ses parents son intention de se consacrer aux combats extrêmes. C'est le choc. Le sport est méconnu et souvent décrié par les médias pour sa violence extrême. Ses parents sont d'autant plus ébranlés qu'ils ignorent tout de l'amour que porte leur fils aux arts martiaux mixtes. Le contraste avec l'image qu'ils se font de lui, celle d'un garçon plutôt réservé, qui a appris à dompter son hyperactivité en jouant aux échecs jusqu'à se classer, à 12 ans, parmi les 25 meilleurs espoirs du Québec, les déboussole. Toutefois, ils ne tenteront jamais de le dissuader de vivre sa passion. Au contraire.

Épaulé par ses parents, St-Pierre entreprend la route sinueuse qui le mènera à la réalisation de son rêve. Il s'initie à de nouvelles disciplines de combat, dont la boxe, la lutte, le jiu-jitsu brésilien et la boxe thaïe. Parallèlement, pour mieux saisir ses adversaires et comprendre la nature humaine, St-Pierre lit beaucoup. Les habitués du Tristar Gym, où il s'entraîne, le surprennent souvent en grande discussion avec son entraîneur Firas Zahabi quant au libre arbitre chez Leibniz ou aux principes de *L'art de la guerre* de Sun Tzu...

S'ATTAQUER AUX PRÉJUGÉS

Georges St-Pierre fait ses débuts professionnels à 16 ans en gagnant son premier combat par soumission. Il remporte ensuite le titre de champion canadien puis, en 2006, s'empare de la ceinture de champion du monde des mi-moyens de l'UFC (Ultimate Fighting Championship).

Il perd cependant son titre en 2007, avant de le reconquérir l'année suivante, chez lui, à Montréal. Ce titre de champion du monde, il le conservera ensuite, combat après combat, jusqu'en 2013, année où il annonce qu'il prend une pause après avoir gagné son dernier affrontement contre Johny Hendricks, à l'issue d'un résultat controversé : plusieurs spécialistes des arts mixtes ont accordé une nette supériorité à l'aspirant au titre.

Un fait demeure avéré : Georges St-Pierre est l'un des grands sportifs qu'a produits le Québec. Il a contribué plus que tout autre athlète de son sport à modifier la perception du public quant aux combats mixtes. Par son attitude et sa classe, tant dans le ring qu'à l'extérieur de celui-ci, il a su donner ses lettres de noblesse au combat ultime. Il faut dire que le sport a bien changé depuis l'époque où St-Pierre l'a découvert à Kahnawake. À ce moment-là, presque tous les coups étaient permis, les opposants n'étaient pas divisés selon leur catégorie de poids, et aucun examen médical n'était exigé au préalable : autant d'aspects qui ont été réglementés au sein de l'UFC, dans laquelle Georges St-Pierre a évolué.

FAITS SAILLANTS

Le dernier combat de Georges St-Pierre lui a permis d'établir plusieurs records. Ainsi, il est :

– le détenteur du plus grand nombre de victoires (19);

– l'athlète ayant porté le plus de coups à ses adversaires (2523) et le plus de frappes significatives (1254);

– celui qui a mis ses adversaires au sol le plus souvent (87 fois);

– le combattant ayant passé le plus de temps dans le ring octogonal, soit 5 h 28 et 12 secondes;

– le 2e champion en matière de victoires consécutives (12), derrière Anderson Silva, qui en a remporté 16.

LA COURSE AUTOMOBILE

PATRICK CARPENTIER

LE VOLANT ENTRE LES DENTS

En 2012, Patrick Carpentier annonce qu'il prend sa retraite. Sa dernière course sera à Montréal sur le circuit Gilles-Villeneuve. Il sait qu'il regrettera sans doute sa décision dès le lendemain : pas facile d'éteindre la passion qui vous fait carburer depuis 27 ans sur tous les circuits nord-américains de course automobile !

C'est sa violente sortie de piste, lors de ses qualifications au 500 miles d'Indianapolis, qui a précipité sa réflexion. Le coureur y a vu un signe. Et puis, depuis un moment, il a noté avoir davantage de difficulté à se motiver. Il est temps de céder la place à d'autres !

L'ACCÉLÉRATEUR AU PLANCHER

Après un court séjour en Formule 2000, Patrick Carpentier s'engage en 1992 dans la Formule Atlantic. Dès le départ, et même s'il ne participe pas à toutes les courses, il y connaît beaucoup de succès. Sa dernière saison, en 1996, en est l'éclatante démonstration : il remporte 9 victoires, dont 8 consécutives, en 12 départs.

Satisfait de ses résultats et persuadé qu'il n'a plus rien à prouver en Formule Atlantic, le coureur automobile passe à la série CART en 1997, au sein de l'écurie de Tony Bettenhausen. Même si cette dernière possède des moyens techniques et financiers limités, Carpentier connaît une saison satisfaisante. Il monte notamment sur la deuxième marche du podium lors du Gateway International Raceway.

Charmée par ses bons résultats, l'une des meilleures écuries, Player's Forsythe, lui offre de devenir le coéquipier de son pilote attitré, Greg Moore. Durant ses deux premières saisons, Carpentier ne parvient qu'une seule fois à se classer parmi les trois premiers. Loin d'être jaloux de Moore, avec qui il s'entend plutôt bien, le coureur québécois est atterré lorsque celui-ci décède des suites d'un accident à Fontana.

Devenu pilote numéro un de l'écurie, Patrick Carpentier cumule les bonnes performances, mais il doit attendre l'année 2001 pour obtenir sa première victoire en CART. La saison suivante, il termine troisième au Championnat des pilotes, un exploit qu'il répète en 2004, se classant même devant son coéquipier, Paul Tracy.

Le monde de la course automobile connaît au cours des années qui suivent des moments d'incertitude et de nombreux bouleversements. Les pilotes doivent faire la démonstration de leur polyvalence et offrir leurs services aux différentes séries qui ont échappé à la crise s'ils veulent parvenir à compétitionner. C'est le cas de Patrick Carpentier qui, de 2006 à 2009, participe entre autres à des courses du nouveau championnat mondial A1 Grand Prix, au Grand American Rolex, de même qu'à la série reine du NASCAR, la Sprint Cup.

Il réalise cependant que, chaque année, il lui est de plus en plus difficile d'obtenir avec régularité un volant et que, lorsque c'est le cas, il conduit des voitures qui ne sont pas très compétitives. Après tant d'années à courir avec de bonnes écuries et à se battre d'égal à égal avec les meilleurs, l'idée de rouler en queue de peloton l'intéresse peu.

Carpentier revient donc à Montréal en 2011 dans le but avoué de mettre fin à sa carrière. Pour le pilote de Joliette, il importe que son dernier tour de piste se déroule là où il a connu sa première grande course en Formule Atlantic, à laquelle il avait terminé troisième.

Malheureusement pour lui, le chant du cygne ne sera pas à la hauteur de ce qu'il avait espéré. Après un contact avec la voiture de Steve Wallace, Carpentier quitte la piste et doit abandonner la course. Dépité, il se voit cependant offrir une interminable ovation par la foule entassée tout le long du parcours qui le ramène à son stand.

Le public est à peine étonné de le retrouver un an plus tard sur le circuit Gilles-Villeneuve, en NASCAR cette fois. Patrick Carpentier a accepté de participer à cette course organisée au profit des enfants malades de l'hôpital Sainte-Justine.

FAITS SAILLANTS

La carrière professionnelle de Patrick Carpentier s'est échelonnée de 1985 à 2012. Il a couru dans les séries Atlantic, CART, Champ Car, IRL et NASCAR.

– En 1996, Carpentier est couronné champion de la série Player's en Toyota Atlantic après y avoir battu de nombreux records, dont celui du plus grand nombre de victoires en une saison ainsi que celui de la plus longue séquence de victoires consécutives (8), après avoir gagné la position de tête.

– En 1997, il est nommé recrue de l'année en CART.

– Il monte sur le podium à 17 reprises en Formule Atlantic, 22 fois en séries CART et Champ Car, et 2 autres fois en NASCAR Nationwide.

ALEX TAGLIANI

COURIR SA VIE !

Le danger, Alex Tagliani connaît ça ! Coureur émérite, celui que tout le monde appelle « Tag » craint davantage les noix et les arachides que de rouler à toute vitesse sur un circuit automobile. Il souffre en effet d'allergies sévères qui ont mis sa vie en danger plus souvent que son sport.

Cela dit, cette hypersensibilité n'a jamais empêché le jeune homme de poursuivre sa brillante carrière de pilote. Tout au plus se doit-il d'être constamment aux aguets, non seulement lorsqu'il est au volant, mais aussi dans sa vie quotidienne, où les pièges sont plus nombreux que sur la piste. EpiPen, un dispositif d'auto-injection qu'on peut utiliser dans le cas de réaction allergique grave, est même devenu l'un de ses principaux commanditaires !

TROUVER SA VOIE

Enfant, Alex Tagliani aime bien s'adonner aux mêmes sports que ses amis, mais sa petite taille l'empêche d'espérer faire un jour carrière dans l'un d'eux. La sienne, elle, se profile plutôt lors d'un voyage dans le village natal de son grand-père, en Italie du Nord. Pendant son séjour, celui-ci l'amène régulièrement voir des courses de karting. Le jeune Tagliani est emballé. Il questionne beaucoup son grand-père et, une fois revenu à Montréal, poursuit ses recherches.

Ce qu'il découvre l'enthousiasme d'autant plus qu'il possède une autre qualité essentielle pour percer dans le sport automobile : téméraire et parfois casse-cou, Alex Tagliani aime bien confronter ses peurs et repousser ses propres limites. Le rêve prend forme. Il ne reste plus qu'à trouver comment le réaliser.

Tagliani se tourne d'abord vers le karting, où il évolue pendant huit saisons, de 1987 à 1994. Il s'y fait un nom, grimpant régulièrement sur le podium. Cela est important, car, pour accéder aux autres catégories de courses, il lui faut certes du talent, mais aussi convaincre des commanditaires de le soutenir. Ainsi est fait ce milieu : plus vous amenez de talent et d'argent à une écurie, plus vous augmentez vos chances de vous y tailler une place.

Dès ses débuts, le pilote québécois réalise également que pour obtenir de bons résultats en course, il doit être dans une forme physique impeccable. Un coureur est en effet soumis, chaque virage, à la force g : celle-ci lui comprime la poitrine jusqu'à l'empêcher de respirer. En outre, peu de temps après le début d'une course, la voiture devient une véritable fournaise.

Dans un tel contexte, un pilote doit être bien préparé pour composer avec ces désagréments physiques, tout en demeurant concentré pour anticiper le mouvement des autres bolides qui roulent à vitesse « grand V », analyser le comportement de sa voiture et les données fournies par le tableau de bord, et dialoguer par radio avec son équipe de course. Autant de compétences que développe rapidement Alex Tagliani.

RÊVER DE DRAPEAUX À DAMIERS

En 1995, Tagliani passe en Formule Ford 1600 et se classe quatrième au Championnat nord-américain, avant de faire le saut en Formule Atlantic, où il évolue jusqu'en 1999. Il y remporte 6 victoires et monte à 16 reprises sur le podium.

Jouissant désormais d'une renommée certaine, Alex Tagliani se retrouve, en 2000, dans la série CART au sein de l'écurie Player's Forsythe. Il se distingue dès son arrivée sur le circuit, notamment en obtenant la première position à Rio de Janeiro. À de nombreuses reprises, il qualifiera sa voiture parmi les meilleures, mais une série de malchances et quelques erreurs l'empêcheront d'obtenir des résultats aussi probants en course.

Parmi les mésaventures qui le marqueront, il y a sans contredit l'accident qu'il subit en 2001 sur la piste de Lausitzring, en Allemagne : Tagliani heurte violemment la voiture hors de contrôle d'Alessandro Zanardi. Si le Québécois s'en tire avec quelques blessures aux jambes, Zanardi, lui, doit se faire amputer les deux. Les risques du métier, dit-on alors...

Deux ans plus tard, Tagliani change d'écurie et passe chez Rocketsports. Sa nouvelle écurie est un peu moins performante que la précédente, mais Tagliani y réalise tout de même quelques coups d'éclat, même si on lui reproche parfois son manque d'opportunisme en course. Il fait taire ses dénigreurs en remportant, en 2004, sa toute première victoire lors de l'épreuve Road America. Au total, il monte à 14 reprises sur le podium en CART, qui deviendra Champ Car.

Nouvel aléa, toutefois, alors que les deux séries concurrentes, IRL et Champ Car, fusionnent, créant la Formule Indy. Plusieurs écuries disparaissent, et il devient de plus en plus difficile d'obtenir un volant en IndyCar, la concurrence entre pilotes étant féroce.

Toujours animé par la même passion, Tagliani se tourne alors vers le NASCAR dans la série Canadian Tire. Il arrive six fois en tête et termine premier à deux reprises, en 1998 et en 2015. Parallèlement, sans y être pilote attitré, il est invité à l'occasion à participer à des courses en IndyCar. Il y est même nommé recrue de l'année en 2009.

C'est aussi dans cette série qu'Alex Tagliani cause toute une surprise en se classant premier devant tous les favoris, lors du 500 miles d'Indianapolis de 2011.

Depuis, celui qui est l'un des meilleurs pilotes qu'a connus le Québec continue de rouler, toujours avec le même bonheur, sur les divers circuits nord-américains. Le destin lui réserve peut-être encore bien des surprises...

GILLES VILLENEUVE

LE « CANADESINO » !

Peu importe qu'il soit né à Berthierville, un lieu qui ignore à peu près tout de l'univers de la Formule 1 ; Gilles Villeneuve compte sur son talent et un peu de chance pour percer un jour le grand circuit. Et la chance lui sourit ! Lors du Grand Prix de Trois-Rivières de 1976, Villeneuve devance en Formule Atlantic plusieurs coureurs qui évoluent en F1, dont James Hunt, qui vient d'être sacré champion du monde. Ce dernier, époustouflé par le talent et le cran du pilote québécois, le recommande à quelques écuries. C'est finalement McLaren qui lui propose un essai.

Gilles Villeneuve se présente donc, le 16 juillet 1977, au circuit de Silverstone en Angleterre. Son objectif est d'en mettre plein la vue, même si la voiture dont il dispose est moins performante que celles de la plupart des autres grandes écuries. Lors des qualifications, il se classe neuvième, devançant même le pilote numéro un de McLaren,

Jochen Mass. Pendant la course, il éprouve cependant des problèmes techniques qui le retiennent un long moment aux puits. Malgré ce pépin, Villeneuve parvient, contre toute attente, à terminer en 11e place. Les journalistes et les organisateurs le proclament « pilote de la journée ».

Devant un accueil aussi enthousiaste, le coureur automobile espère terminer la saison avec McLaren, mais il découvre alors un impératif de la Formule 1 contre lequel son talent ne peut rien: les commanditaires. Marlboro, qui veut promouvoir et augmenter les ventes de ses produits en France, impose Patrick Tambay à McLaren.

Faux départ ! Villeneuve regagne ses terres à Berthierville.

AVEC LA SCUDERIA

Dépité de ce premier essai, Villeneuve ignore qu'à Silverstone, un homme a remarqué et apprécié son attitude en course. Cet homme, c'est Enzo Ferrari. Celui-ci lui propose un essai avec la Scuderia : il s'avère assez convaincant pour que Gilles Villeneuve participe aux deux derniers Grands Prix de la saison 1977.

L'année suivante, Villeneuve éprouve des ennuis sur la piste, mais aussi sur le plan personnel. En effet, il s'adapte mal au style de vie européen. Autant il se montre téméraire et sans complexe au volant, autant il est d'une timidité maladive dans la vie, ce qui nuit à ses relations avec les commanditaires et la presse. Les médias italiens exigent même son départ au milieu de la saison. Enzo Ferrari, qui le traite comme un fils, lui réitère sa confiance. Villeneuve lui donne raison en remportant la victoire au Grand Prix du Canada sur le tout nouveau circuit de l'île Notre-Dame, à Montréal. Il suit aussi des cours de personnalité qui le rendent plus affable.

Lors de la saison 1979, le pilote québécois a un nouveau coéquipier, Jody Scheckter, qui est depuis quelques années l'un des principaux aspirants au titre de champion du monde. Villeneuve accepte de jouer les seconds violons, mais c'est lui qui connaît le meilleur départ. Il termine premier au Grand Prix d'Afrique du Sud ainsi qu'à Long Beach, aux États-Unis, prenant alors la tête du classement devant Jacques Lafitte et son propre coéquipier, Scheckter.

Cependant, Villeneuve se préoccupe davantage de sa performance à chaque course que du classement général. Gonflé à bloc par ses performances de début de saison et voulant toujours offrir un excellent spectacle, il cherche à repousser les limites de sa voiture, provoquant des tête-à-queue à quelques reprises. Résultat : à la fin de la saison, Villeneuve se retrouve deuxième au classement… derrière son coéquipier.

LES DERNIÈRES SAISONS

Si les attentes sont désormais énormes à la veille de la saison 1980, la Scuderia déçoit : elle connaît une saison de misère, la nouvelle voiture de l'écurie n'étant pas concurrentielle. Villeneuve parvient néanmoins à arracher de peine et de misère six points au classement, alors que Scheckter, qui a de la difficulté à qualifier sa voiture, annonce sa retraite.

La Ferrari, qui manquait de puissance en 1980, bénéficie en 1981 de son nouveau moteur turbocompressé. Le problème, cette fois, vient du châssis mal adapté à cette puissance, ce qui rend le bolide difficile à maîtriser. Une situation qui ne déplaît pas à Villeneuve et à son style de conduite plutôt « cowboy ». À la limite du dérapage toute la saison, il parvient à gagner les Grands Prix de Monaco et de Jarama, en Espagne. Mais ce que les amateurs de Formule 1 retiennent surtout de cette année-là, c'est sa prestation à Montréal, où, sous la pluie et malgré un aileron arrière endommagé dès le début de la course, Villeneuve termine troisième.

Devenu une idole en Italie, où on lui voue un véritable culte, le « Canadesino » entreprend la saison 1982 à titre de pilote numéro un de Ferrari aux côtés de Didier Pironi. Ce dernier, lors du Grand Prix d'Italie, fait fi des consignes d'équipe et, dans les derniers tours, dépasse Villeneuve, qui termine deuxième, furieux.

Le coureur n'a pas décoléré lorsqu'il se présente aux qualifications du Grand Prix de Zolder, en Belgique. La suite, tout le monde l'a en tête en raison des images qui sont diffusées à profusion tous les 8 mai : Villeneuve frappe l'arrière d'une automobile roulant plus lentement. Sa voiture s'envole avant de faire plusieurs tonneaux, au cours desquels il est éjecté.

La nouvelle de la mort de Gilles Villeneuve fait le tour du monde en même temps que naît sa légende.

JACQUES VILLENEUVE

Jacques Villeneuve suit les traces de son père. Il connaît ses premiers succès en Indycar, où il est sacré meilleur débutant en 1994, avant de s'imposer en 1995 avec 5 victoires, dont le fameux 500 miles d'Indianapolis. Le fils de Gilles se fait cette année-là un nom qu'il imposera ensuite en Formule 1 avec l'écurie Williams-Renault.

Si le fils Villeneuve ne soulève pas la même passion viscérale que le père auprès des amateurs de F1, il recrée un réel engouement pour les courses. Il atteint par ailleurs un sommet qui a échappé à son père lorsqu'il devient champion du monde en 1997, devant Michael Schumacher. Enfin, Jacques se distingue aussi de Gilles par son franc-parler et ses opinions tranchées qui alimentent les journalistes.

Jacques Villeneuve participe à 166 courses de 1996 à 2006. Il compte 11 victoires à son actif.

RÉFÉRENCES

PÉRIODIQUES ET JOURNAUX

Archives du journal *La Presse*

Cap-aux-Diamants, vol. 2, no 4, 1987

Journal l'UQAM, vol. XXXV, no 15 (avril 2009)

L'Actualité, « George St-Pierre, gentleman gladiateur », Jonathan Trudel (6 décembre 2010)

Le Soleil de la Floride, 3 janvier 2008

Magazine Perspectives, 7 février 1981

Magazine Portrait, juin 2012

LIVRES

Le sens du combat, Georges St-Pierre avec Justin Kingsley, Flammarion, 2013

Les 100 plus grands Québécois du hockey, Rolland Ouellette, Éditions Stanké, 2000

Montréal Football: Un siècle et des poussières, Daniel Lemay, Éditions La Presse, 2006

Stéphane vs Ouellet, Jacques Pothier, Éditions JCL, avril 2004

Sylvie Fréchette : Sans fausse note, Éditions de l'Homme, 1993

Yvon Robert, le lion du Canada français : le plus grand lutteur du Québec, Pierre Berthelet, Trustar, 1999

SITES WEB

100 ans d'histoire et de statistiques : http ://www.prohockeyfr.com

Archives de *La Presse*, des journaux régionaux et des hebdomadaires locaux : http ://www.lapresse.ca

Archives de Radio-Canada : http://archives.radio-canada.ca/sports
Baseball Québec : http://www.baseballquebec.com
Bibliothèque et Archives Canada : https://www.collectionscanada.gc.ca
Canoë Sports : http://fr.canoe.ca/sports/
Dictionnaire des sports du Québec : http://www.explorare.net/dictionnaire/hockey/
Érudit : http://www.erudit.org
Huffington Post Québec : http://quebec.huffingtonpost.ca
Info Vélo : http://infovelo.com
Jeux du Canada : http://www.canadagames.ca
Jeux du Québec : http://www.jeuxduquebec.com
La zone de boxe : http://www.lazonedeboxe.com/
Le blog auto : http://www.leblogauto.com
Le Québec et les guerres : http://www.lequebecetlesguerres.org
Les Alouettes de Montréal : http://www.montrealalouettes.com
Mylène Paquette : http://www.mylenepaquette.com/
On roule... : http://www.onroule.ca
Panthéon des sports du Québec : http://www.pantheondessports.ca
Plongeon Québec : www.plongeon.qc.ca
Québec en forme : http://www.quebecenforme.org
RDS : http://www.rds.ca
SABR-Québec : http://quebec.sabr.org/articles_raymond
Site officiel des Canadiens de Montréal : http://canadiens.nhl.com
Site officiel de Georges St-Pierre : http://www.gspofficial.com/fr
Temple de la renommée Athlètes paralympiques : http://paralympique.ca